"Danuza, sofisticada mesmo quando o Thunderbird fura um dos pneus."
(Legenda da revista *Manchete*, 1959.)

No ensaio fotográfico de Richard Avedon para a revista *Harper's Bazaar*, 1960.

Com Nara, em Paris.

Com Samuel, Samuca e Pinky, em 56.
Na parede, seu retrato, por Di Cavalcanti.

Com Pinky e Samuca.

Com o costureiro Jacques Fath,
numa de suas temporadas em Paris.

XX· FESTIVAL INTERNATIONAL DU CINE

1967 DE CANNES

Em pose de estrela de cinema, 1959.

Num anúncio de tecelagem
para revista francesa, em 1953.

Manchete

HISTÓRIA SECRETA
A GUERRA VARGAS
UMA REPORTAGEM

– REVISTA SEMANAL – RIO DE JANEIRO – 4 DE OUTUBRO DE 1952 –

DANUZA
CONQUISTA
PARIS

Com a família, na festa de aniversário
de Samuca, em outubro de 1961.

Num ensaio fotográfico
de 1970.

No Carnaval de 70,
com a camisa do Vasco.

Quase nua, fotografada
por uma amiga em Paris.

Danuza Leão

Quase tudo

memórias

Danuza Leão

Companhia Das Letras

capa e projeto gráfico
warrakloureiro

foto de capa
Pauline Morin

preparação
Márcia Copola

assistência editorial
Claudia Yanagihara

revisão
Marise Simões Leal
Isabel Jorge Cury
Otacílio Nunes Jr.

Dados Internacionais de Catalogação na Publicação (CIP)
(Câmara Brasileira do Livro, SP, Brasil)

Leão, Danuza
Quase tudo : memórias / Danuza Leão. — São Paulo :
Companhia das Letras, 2005.

ISBN 85-359-0750-5

1. Leão, Danuza 2. Memórias autobiográficas I. Título.

05-7799 CDD 079.81

Índice para catálogo sistemático:
1. Jornalistas brasileiros : Memórias 079.81

5ª reimpressão

[2006]

EDITORA SCHWARCZ LTDA.
Rua Bandeira Paulista 702 cj. 32
04532-002 – São Paulo – SP
Tel [11] 3707-3500
Fax [11] 3707-3501
www.companhiadasletras.com.br

à vida, que é maior que tudo

1

Quando eu tinha vinte e nove anos e era bem bonita — hoje me dou conta —, houve um momento em que engordei quatro quilos. Como sempre tinha sido um fiapo e continuava com cinqüenta e dois centímetros de cintura, mesmo depois de ter tido três filhos, dava para se perceber a diferença. Um dia fui almoçar na casa de meus pais, e, logo que entrei, meu pai me disse: "Danuza, você está um monstro".

Monstro eu não podia estar, mas era outra pessoa; não só pelos tais quatro quilos, mas sobretudo porque, depois de terminar meu casamento com Samuel Wainer e ter tomado outro rumo na vida, com Antônio Maria, havia mudado de personalidade.

Samuel foi o único homem que nunca tentou me modificar. Ao contrário: ele me estimulava a ser cada vez mais eu mesma, a me soltar, a desenvolver minha personalidade. Extremamente inteligente e vivido, achava que essa era a estratégia certa para conservar um casamento. Costuma ser, só que não foi.

Com Antônio Maria aconteceu tudo ao contrário: ele me transformou numa pessoa diferente. Ele também mudou; do homem divertido e boêmio que era, virou outro. Largou os amigos — testemunhas de um passado sentimental tumultuado — e, sem que nada fosse dito explicitamente, exigiu o mesmo de mim. No fim de algum tempo, éramos outros — aliás, bom título para um bolero.

Demorei a compreender o que meu pai quis me dizer, na sua franqueza: eu não era mais a mesma. Meio gordinha, usando saias mais compridas para cobrir as pernas, rindo discretamente, falando só coisas sensatas.

Quieta, inibida, não dizia o que sentia ou achava. Sem pensar, sem ter opinião sobre nada, só podendo gostar do que Antônio Maria gostava e achando bom não ser nada, que é uma maneira cômoda de viver mas dificilmente dura. O comentário de meu pai fez acender a luz amarela; me olhei no espelho, refleti sobre minha vida e vi que era outra. Comecei a desconfiar que o amor não é tudo; até é, enquanto se está amando, mas, para viver uma paixão, é preciso renunciar à própria vida, uma opção perigosa que não costuma ser eterna.

Quem pensa que uma infância feliz é aquela que segue os moldes tradicionais está enganado. Essas coisas de pai e mãe que conversam, perguntam pelas notas do colégio, contam histórias, dão beijos, fazem carinho e dizem que os filhos são lindos e inteligentes, tudo isso deve ser muito bom — ouço falar, mas desconheço. E, como desconheço, nunca me fez falta. Puxando pela memória, não me lembro de algum dia ter recebido um beijo de minha mãe ou do meu pai. Não que eles não gostassem de mim; eram desse jeito.

Nasci em Itaguaçu, uma pequena cidade do Espírito Santo que demorou a aparecer no mapa; meu pai, Jairo — dr. Jairo, como ele gostava de ser chamado —, e minha mãe viajaram de trem para lá no dia em que se casaram, em Cachoeiro de Itapemirim. Em Itaguaçu, que só tinha uma rua, meu pai começou sua carreira de advogado.

Mudamos para Vitória quando eu tinha quatro meses, e ouvi contar que tive uma ama-de-leite chamada Dercília. Também ouvi contar que meu pai detestava choro de criança e que, quando eu acordava à noite, aos berros, Dercília me tirava da cama e me levava para o quarto dela, nos fundos da casa.

Meu avô paterno se chamava Herodoto, assim mesmo, sem acento; a gente pronunciava He-ro-do-to, com a tônica no *do*. Ele tinha um cartório em Vitória, e seus irmãos,

Kosciuszko e Aristóbulo, eram donos de um importante educandário da cidade, o São Vicente de Paulo. Os três eram muito elegantes, usavam terno branco e sapato de duas cores; Kosciuszko, poeta e professor, pertenceu à Academia Espírito-Santense de Letras. Fico imaginando quem teria sido meu bisavô, para batizar os filhos com esses nomes, que, descobri na internet, hoje são nomes de rua em Vitória.

Meu avô me adorava — pouco antes de morrer tuberculoso em Barbacena, quando eu tinha três anos, mandou botar meu nome, bem grande, em ferro batido, na fachada da casa onde morávamos. Pobre do meu avô: por causa da doença, seu prato, seu copo e seus talheres eram separados dos outros e ele não podia nem chegar perto de mim para fazer carinho. A mãe dele, Aninha, dirigia um internato numa praia perto de Vitória. Contam as más-línguas da família que, à noite, ela pegava um cavalo e saía galopando pela praia, nua. Torço para que essa história seja verdadeira.

Quando minha avó morreu, deixando três filhos, meu pai tinha dois anos. Meu avô casou de novo e teve mais dez. Sua casa era barulhenta, os irmãos de meu pai brigavam alto, falavam alto, riam alto; eram todos, como se diz hoje, bichos desgarrados. Meu pai, que tinha uma capacidade invulgar para pensar o futuro, guardava moedas numa caixa, sabendo — achando — que um dia, fora de mercado, elas seriam preciosas. Ainda lembro de umas enormes, de quatrocentos réis, mas não sei que fim levaram.

Desde garota eu adorava o mar; morávamos na praia do Canto, e minha distração predileta era arrancar mexilhões e ostras das pedras para comer na hora. Eu era uma menina solta, que passava as férias descalça e à tarde ia esperar a chegada dos pescadores para levar uns siris que sobravam na canoa.

Nos fundos de nossa casa havia um quintal tosco, de terra batida, onde eu passava boa parte do dia. Além das mangueiras, tinha uma touceira de bambu e umas pitangueiras; tinha também um galinheiro e um galinho garnisé de estimação. Quando a empregada corria com um facão atrás de uma galinha, para fazer um molho pardo, era aquela zoeira, uma sangueira enorme, e, quando a travessa chegava com a galinha acompanhada de polenta, que na minha terra se chama angu, vinham junto a moela, o coração, o fígado e um cacho de ovinhos de vários tamanhos — e era sempre uma briga pelos ovinhos. Mas o que mais se comia em casa eram grandes peixadas e tortas capixabas, regadas a azeite e leite de coco, e com muito coentro.

Aos domingos, o ritual mudava: almoçávamos mais tarde, e de aperitivo meu pai cortava uma lingüiça em rodelas, botava numa travessa, regava com álcool — de farmácia — e acendia um fósforo. A lingüiça ficava com um gostinho de carvão, era degustada com farinha e pimenta, e meu pai tomava uma cachacinha (só uma). Sempre comidas alegres, coloridas, fortes; ninguém tinha que esperar o almoço acabar nem pedir licença para sair correndo da mesa; era uma vida quase de roça.

Na nossa casa, tudo se comia com pimenta, até ovo frito, mas só pimenta fresca — havia vários pés no quintal, e elas eram colhidas, madurinhas, na hora do almoço e do jantar. “Se não chorar, não vale”, dizia meu pai. E lá ia eu, com cinco, seis anos, esmagar as pimentas com a faca, as lágrimas rolando. Toda manhã passava o leiteiro, puxando um burro que levava duas grandes vasilhas de latão. Na volta ele nos dava o resultado daquele sacolejo: uma bola de creme fresquinho, melhor do que qualquer creme de leite da Normandia. Depois do jantar eu sentava no chão com as filhas da empregada, e ficávamos sem fazer nada ou, às vezes, brincávamos com pedrinhas; ninguém contava histórias, não havia hora para dormir, só se ia para a cama quando o sono chegasse. Não acontecia nada, e o dia seguinte ia ser igual a todos.

Perto de casa havia um cinema que meus pais freqüentavam regularmente, aos domingos; a sessão era às oito. Quando eu tinha uns sete anos, uma noite eles saíram e eu saí atrás; paguei o ingresso com uns trocadinhos que tinha, entrei com o filme já começado e fui embora antes de acabar, correndo para chegar em casa antes deles; me meti na cama, vestida, me cobri com o lençol e fiquei ouvindo, o coração fazendo tum-tum-tum. A empregada contou tudo, claro, e levei uma grande bronca. Não sei que filme era, e isso nem me importava: só queria experimentar como era estar na rua, à noite, sozinha.

Aos sete anos aprendi a ler e ganhei a coleção de Monteiro Lobato. Devo ter lido cada livro umas cinqüenta vezes — eram os únicos que tinha —, mas nunca me passou pela cabeça morar ou passar as férias no Sítio do Pica-Pau Amarelo. Nunca sonhei em ter uma avó como Dona Benta ou uma Tia Nastácia por perto. Achava Narizinho meio chata, Pedrinho mais ainda, e mesmo a Emília, para mim, era um pouco infantil; só via graça no Visconde. Meu sonho era ter o *Thesouro da Juventude*, só que isso jamais aconteceu. Um dia, muito mais tarde, li Balzac, depois Eça de Queirós, por quem sou apaixonada, e Nelson Rodrigues; não sou do ramo, mas acho que os três têm muito em comum. Eu leio e releio Eça, e não me canso nunca. Seus personagens são reais: românticos, cínicos, sutis, superficiais, finíssimos, profundos, e alguns não têm o menor caráter.

A outra parte da infância foi em Cachoeiro de Itapemirim, onde morava a família de minha mãe e para onde íamos nas férias.

Minha mãe era Altina, de apelido Tinoca; meu avô, Braz Lofego, um imigrante italiano que saiu de Castelluccio Superiore, em Basilicata, no sul, e chegou ainda menino ao Brasil, com o pai e um irmão, para tentar a vida em Rio Pardo, no interior do Espírito Santo. A mãe dele, minha bisavó, veio sete anos depois; quando desembarcou e viu um negro pela primeira vez, caiu em pranto.

Vovô Braz se casou com minha avó Palmira, neta de índios, e tiveram vinte filhos; oito morreram. Ele era dono de um armazém daqueles de antigamente, que vendiam tecidos, rendas, botões, arroz, feijão, fumo de rolo, cachaça, tudo; era a única loja de Rio Pardo, que também tinha uma rua só. As filhas mulheres estudaram em Vitória; eram internas num colégio de freiras, tomavam banho de camisola e só voltavam para casa nas férias grandes, pois o percurso era longo e quase todo feito a cavalo. Apesar da origem modesta, todas aprenderam a tocar um instrumento: piano, bandolim, viola ou violino. O piano chegou trazido "em lombo de homem", como se dizia. Foram dezesseis carregadores, a pé pela estrada. A família tinha um ex-escravo que fazia todos os serviços fora da casa, o Ambrósio.

Meu avô tinha uma irmã mais nova, tia Nóbila, que era italiana, falava com sotaque e tudo. Estava casada, já com dois filhos, quando apareceu o tenente Evaristo procurando pelo bando de Lampião. Não me pergunte como essas coisas podem acontecer numa cidade com uma rua só, mas aconteceu: os dois se apaixonaram. Um belo dia, tia Nóbila sumiu. Meu avô e mais um de seus irmãos, que já desconfiavam de alguma coisa, pegaram a estrada, a cavalo, e muitas léguas adiante viram Evaristo, com sua canequinha de prata com três correntes, tentando tirar água de um poço. Diz a lenda — qual a família que se preza que não tem as suas? — que Evaristo foi fuzilado no ato.

Tia Nóbila havia fugido com uma empregada, e a combinação era que se encontrariam, ela e o tenente, em Cachoeiro de Itapemirim, no único hotel da cidade, o que já era um escândalo na época, uma mulher num hotel. Dois dias depois chegou uma notícia a Cachoeiro: o tenente teria matado um dos irmãos de minha tia. Quando ela soube da novidade, botou um vestido vermelho, desceu para jantar e pediu um vinho. Foi aí que veio a notícia verdadeira.

Ela subiu para o quarto, se vestiu de preto (para sempre), alugou uma casinha perto da igreja, paga pelos irmãos, e passou o resto da vida rezando. Nunca mais voltou para o marido, que cuidou dos filhos, nunca mais pisou na casa de nenhum parente — quem quisesse vê-la que a procurasse —, mas nunca deixou de usar sapatos de salto alto.

Sua casa brilhava de tão limpa; o chão era encerado todos os dias por uma órfã que minha tia criava, o brilho puxado na mão, a escovão. Sempre tinha uma órfã nova, já que todas acabavam um dia fugindo com algum homem. A sala cheirava a cera e açúcar, pois tia Nóbila fazia licores — era especialista nisso — e os guardava na cristaleira. Licor de jenipapo nunca faltava, e as visitas tinham direito a uma gotinha, num cálice de cristal.

Foi no jardinzinho da casa dela que vi um figo pela primeira vez. As frutas da minha infância eram laranja, banana, manga, abio; pêra, maçã e uva, só quando estávamos doentes. Minha tia era tão caprichosa que, quando os figos começavam a crescer, ela os cobria com saquinhos de papel, um por um, para os passarinhos não bicarem.

A casa de tia Nóbila era pequena, mas, na minha memória, de um luxo total; o chão brilhava, e os vidros das janelas, bisotados, faiscavam como diamantes. Lembrei dela na primeira vez em que me hospedei no Grand Hotel et de Milan, em Milão (o nome é assim mesmo), onde o chão e os vidros das janelas também brilhavam. Esse hotel, o mais belo de todos que conheci, fica na via Manzoni, pertinho do famoso Teatro alla Scala. Nele se hospedavam D'Annunzio, La Callas, Nureyev, Hemingway, e foi lá que viveu por muitos anos — e escreveu várias óperas — Giuseppe Verdi. Quando o maestro estava doente, já perto de morrer, as ruas em volta do hotel foram forradas de palha para que o barulho das carruagens não o perturbasse.

Minhas tias só tinham uma perspectiva na vida: arranjar um marido. Toda noite, das sete às oito, elas passeavam na praça. Se meu tio Hugo, que não fazia nada a não ser jogar sinuca, soubesse que uma delas tinha sido vista falando com algum rapaz, dava uma surra de cinto, surra mesmo. Rosina, minha preferida, nunca se casou; era meio de praxe que a mais velha ficasse solteira para ajudar a criar os irmãos. Ela foi a pessoa mais doce, amorosa e prestativa que conheci (capaz de passar a noite em claro costurando um vestido para mim). Um dia eu trouxe para tia Rosina, de Paris, um casaquinho de tricô, que ela só vestiu em raras ocasiões, para não gastar — isso aos noventa e quatro anos.

A família Lofego deixou Rio Pardo antes de minha mãe casar, calculo que por volta de 1930. A casa de minha avó materna, em Cachoeiro, era um sobrado. No térreo ficava o armazém do meu avô, já mais abastado do que em Rio Pardo; em cima, morava a família. Na parte da frente, que dava para a praça, havia uma sala com sofá e algumas poltronas do mesmo tecido, e o piano. A sala ficava fechada, escura, e só se entrava lá quando havia visitas. No centro da casa, tinha uma ampla sala de jantar e, nos fundos, os quartos, dando para o rio.

Ah, o rio. Não era grande o suficiente para que nele transitassem barcos, mas também não era um riacho; devia ter uns cinqüenta metros de largura, e a água era suja, barrenta. Claro: era a lata de lixo da cidade. Na época as cozinheiras jogavam nele, pela janela, cascas de laranja e todas as sobras de comida. Às vezes uma enchente inundava tudo, e era uma sensação passear de bote pelas ruas. Mas meu sonho mesmo era tomar um banho naquele rio, coisa que nunca aconteceu. Uma das minhas grandes frustrações.

Nas noites de domingo minhas tias faziam biscoitos, e toda vez eu ganhava um pouquinho da massa para moldar os meus, que tinham sempre o mesmo formato: uma lagartixa com olhos de feijão.

Os dois acontecimentos das férias em Cachoeiro eram visitar a fábrica de requeijão — e ter direito à raspa do fundo do tacho — e visitar a fábrica de pios. Existiam pios que imitavam todos os tipos de pássaros, para que estes caíssem na arapuca com mais facilidade. O cronista Rubem Braga, que também era da cidade, tinha um monte deles. E, para encerrar a seção Lembranças de Cachoeiro, em Castelluccio, de onde vieram os Lofego, há uma rua com o nome do meu avô.

Nara tinha um ano e eu dez quando meu pai resolveu se mudar para o Rio de Janeiro. Ele detestava cidades pequenas, onde todo mundo sabe da vida de todo mundo, e viajou primeiro. Escolheu um apartamento em Copacabana e os móveis, um conjunto de sucupira. Na época era dificílimo conseguir telefone, mas, quando chegamos, já havia dois instalados.

Pai de duas filhas, mesmo que uma delas tivesse apenas um ano, ele sabia que a vida com uma linha só seria impossível.

Aos onze anos, me operei do apêndice e não quis que ninguém ficasse comigo no hospital; por incrível que pareça, consegui. Na manhã seguinte à cirurgia, minha mãe veio me ver; pedi a ela que comprasse um monte de revistinhas e fosse para casa. Minha mãe tentou argumentar, mas minha vontade era tão forte que ela não pôde fazer nada. Foi a primeira vez que fiquei sozinha por uns dias, e gostei tanto da experiência que ela depois passou a ser uma necessidade.

Para manter um mínimo equilíbrio mental, preciso ficar muitas horas do dia absolutamente só; por isso gosto de viajar sozinha, por isso prezo tanto minha liberdade, por isso cheguei à conclusão de que não nasci para ser casada. Às vezes sinto uma certa solidão, mas não é assim tão ruim. Não sei de nada melhor do que chegar numa cidade onde não conheço ninguém, sentar num café, pedir um drinque, mais outro, ficar olhando as pessoas, imaginando suas vidas — fumando um cigarro, melhor ainda. Não sei o que meus filhos acham disso, mas mãe não se escolhe; amigos e amores também não, mas estes entram e saem de nossa vida, e é assim mesmo.

Fomos preparadas, Nara e eu, para enfrentar a vida como adultas, para sermos livres e jamais dependermos financeiramente de homem nenhum — e isso aprendemos direitinho.

A cada vez que eu saía do quarto e deixava a luz acesa, ouvia a frase: "Apague essa luz, eu não sou sócio da Light". Nessa época faltava luz no Rio, com hora marcada. Quem morava em prédio ficava pela rua, esperando voltar a energia. Faltava também água — vivíamos com a banheira, panelas e baldes cheios —, e, nas poucas horas em que havia água, abríamos a torneira, molhávamos a escova de dentes, fechávamos a torneira, escovávamos os dentes e depois abríamos de novo a torneira, para enxaguar a boca. Como a água chegava sem aviso, as pessoas costumavam telefonar umas para as outras e perguntar: "Tem água aí? Posso ir tomar um banho?". O banho era de cuia, mas, quando a água chegava, eu ia correndo para o chuveiro — abria-o por um minuto, para molhar o corpo, fechava, me ensaboava, e abria de novo para tirar a espuma. Até hoje sigo essa rotina e sou incapaz de desperdiçar luz ou água.

Cansamos de ouvir do nosso pai que não se pode confiar no ser humano, que o amor não é eterno, que só podemos contar com nós mesmos, que é necessário ser forte e que a vida não é uma brincadeira. Se chegávamos exaustas do colégio, ele dizia que é bom castigar o corpo, andar na praia até não agüentar mais, tomar banho frio; ele me levava para o mar violento de Copacabana, eu ainda pequena, e me mergulhava na onda, para que eu aprendesse a não ter medo, e eu gritava, apavorada.

Meu pai não cansava de dizer também que mais importante do que os bons costumes e qualquer conveniência social é falar a verdade, sempre; que as glórias e honrarias deste mundo não têm nada a ver com a felicidade; que nada acontece sem esforço; que não adianta ensinar, só se aprende com a vida — e apanhando. E mais: que as palavras foram feitas para esconder os pensamentos e que um mergulho no mar cura tudo, das doenças às maiores aflições. Ele estava certo em muitas coisas, mas não em todas. Da mãe de meu pai, a quem não cheguei a conhecer, aprendi que, quando cai uma chuva forte, deve-se ir para a rua e lá ficar por uns dez minutos, até se encharcar, pois faz bem à saúde. Isso eu ainda faço, e acho que a humanidade se divide em dois tipos de pessoas: as que usam guarda-chuva e as que não usam.

Olhando para trás, percebo que fui uma criança feliz, mas sem brinquedos, bonecas, árvores de Natal nem festas de aniversário, por convicção do meu pai. "Datas? Mas que importância têm as datas?", foi o que ouvi a vida inteira. Ficou difícil, quando tive minha própria família, montar uma árvore no Natal. Até tentei, mas foi um fiasco, como tudo o que se faz sem acreditar.

Meu pai morava em Vitória e cursava direito no Rio. O trem fazia baldeação em Cachoeiro de Itapemirim, onde vivia minha mãe; eles se encontraram, namoraram por carta e casaram sem praticamente se conhecerem, como, aliás, era o costume na época.

Nunca tive sonhos de casamento, nunca me passou pela cabeça usar um vestido de noiva (portanto, ainda posso). O clima em nossa casa não me fazia propriamente ter vontade de constituir uma família. A fortíssima personalidade do meu pai sufocou a de minha mãe, moça delicada e sem voz, mesmo no que dizia respeito à educação das filhas. Era ele quem sabia de tudo, quem mandava em tudo, quem fazia tudo, quem decidia tudo. Trabalhava muito, era um angustiado de nascença, e se preocupava, o tempo todo, com o sustento da família. Papai não tinha amigos, não podia contar com ninguém, só consigo mesmo, e tinha pavor de morrer e nos deixar sem nada.

Ele tinha várias personalidades. Quando jovem, foi poeta e recebeu o título de Príncipe dos Poetas Capixabas; em casa era um homem sempre cansado, que se queixava de tudo e só falava sério, não brincava nem sorria. Na rua, o contrário: não havia ninguém que o tivesse conhecido que não se lembrasse dele como um excelente papo, sempre às gargalhadas e cheio de histórias para contar, permanentemente interessado em conquistar todas as mulheres do mundo. Ele não podia ver uma: a tentativa de sedução era automática, mais forte que ele. Pobre da minha mãe, que, não sabendo como agir, se encolhia dentro de si mesma, sem se manifestar. Ela me contou um dia que ficava apavorada quando me via pegar um avião, mas não ousava dizer nada, só rezava, trancada no quarto. Eu não sabia o que queria da vida, mas sabia bem o que não queria: ter uma vida igual à dela.

Minha mãe; era estranha nossa relação. Não que fosse ruim, isso não. Simplesmente não era. Jamais tivemos uma briga, uma discussão. Não que ela fosse indiferente: acho que ela não tinha coragem de me enfrentar, nem mesmo quando eu era muito pequena. Tinha por um lado uma enorme admiração por minha coragem e independência, mas nunca conversou comigo sobre assunto algum, éramos duas desconhecidas, apenas morávamos na mesma casa, e, se alguém me pergunta hoje como era minha mãe, não sei responder. Acho que ela não conseguia se comunicar, nem comigo nem com ninguém. Uma vida não vivida, penso eu. Um dia ela me contou que foi do Rio para Cachoeiro de Itapemirim, visitar a família, e num determinado momento o ônibus parou para que os passageiros fossem ao toalete, bebessem alguma coisa. Ela, que estava só, desceu, sentou-se numa mesa e tomou um café com leite; e me disse que essa foi a maior aventura da sua vida. Nunca me esqueci disso.

Tive uma educação religiosa: fiz primeira comunhão, confessava todo sábado e vigiava meus pensamentos para não pecar antes da comunhão de domingo. Morria de medo de que a hóstia batesse no meu dente e saísse sangue; afinal, era o corpo de Jesus. Aos doze anos deixei de ir à missa, e desde então só visitei igrejas em casamentos e missas de sétimo dia, ou como turista.

Estudei no Sacré-Coeur de Marie, em Copacabana. Havia um uniforme de verão — blusa de fustão branco e gravata com laço —, um de inverno, de lã azul-marinho, e um chapeuzinho de palha com a abinha virada, que era obrigatório o ano inteiro. O ônibus me pegava às onze e meia e me trazia de volta às cinco e meia da tarde. As freiras usavam grandes chapéus esvoaçantes de linho branco engomado, como as dos filmes de Fellini, e quem tinha mau comportamento passava o recreio na capela, ajoelhada no milho, se arrependendo dos pecados. Trabalhava-se muito pelas missões, vendendo docinhos e furando cartões com alfinete, igualzinho nos dancings de antigamente, mas as freiras nunca explicaram direito o que eram as tais das missões; só vim a saber muito depois, e já esqueci. A diretora era Mère Margherite, de quem eu morria de medo.

Pensando de maneira original, sobretudo para os padrões daquele tempo, meu pai me tirou da escola quando eu estava no segundo ano do ginásio. Ele dizia que diplomas não significavam nada; quis fazer a mesma coisa com Nara, mas ela, como tinha várias amiguinhas no colégio, bateu o pé e disse que queria continuar ali. (A maior amiga de Nara na época era Teresinha, filha de Mara Rúbia, uma grande vedete do teatro de revista. Mara educava a filha com mão de ferro, controlando seus horários de saída e de chegada, e ai da garota se se atrasasse.) Papai emancipou Nara aos dezesseis anos, sabe-se lá por quê.

Estudei em casa, com professores particulares, inglês, francês, matemática e português, muito português (faltou história). Eu odiava fazer redações; mal podia imaginar que décadas depois iria trabalhar num jornal. Quando comecei a escrever, tive a grata surpresa de ver que muito do que havia aprendido estava guardado na cabeça.

Durante uns anos tive aulas de piano, que detestava, e depois de violão com Patrício Teixeira, um negro elegante, sempre de terno e gravata, que mais tarde foi professor de Nara. Ele compunha também, e eu escapava dos exercícios pedindo a Patrício que tocasse e cantasse suas canções. Ficou provado que minha inclinação pela música era apenas auditiva.

Aos doze, treze anos, as meninas pensam, sentem e se comportam mais ou menos como lhes foi ensinado. Comigo isso não aconteceu, pois, tendo deixado de freqüentar a escola, que é onde se fazem amigas, eu pensava por mim mesma, sem me guiar por nada, o que me fez diferente das colegas da minha idade. Fomos, Nara e eu, estimuladas a ter nossas opiniões, certas ou erradas, sobre tudo, com toda a liberdade do mundo.

Por ter saído do colégio ainda menina, me faltou o aprendizado da convivência, digamos assim. O tempo passou, e só muito mais tarde fui descobrir que sou tímida, quem diria, e me sinto desconfortável no meio de muita gente. Não sei ter relações meramente sociais: fico amiga ou não fico nada, e o tititi mundano está acima de minhas capacidades. Adoro estar nos lugares, olho tudo, sou curiosa, gosto de ouvir o que as pessoas dizem, mas, quando elas são muitas, eu preferia ser uma mosca. Nessas horas queria ser a Danuza Leão que acham que sou.

2

Minha vida teve vários *turning points*. O primeiro foi quando chegamos ao Rio. No prédio onde morávamos, viviam também Helena e Fernando Sabino, recém-vindos de Belo Horizonte. Na época, eu não sabia quem eram, só os conhecia de elevador. Um dia, no mar, me afastei demais e fui levada pela correnteza. Minha sorte foi Fernando, que havia sido nadador, ter visto. Ele se atirou na água e me salvou; mal sabia eu que mais tarde iríamos nos tornar tão amigos.

Naquela época, minha mãe e eu íamos uma vez por semana ao centro da cidade, de bonde; eu de vestido de organdi branco e chapéu de palha rosa com uma fita dando um laço atrás. Passeávamos pela rua do Ouvidor e pela Gonçalves Dias, e depois tomávamos chá na Colombo. Chá é modo de dizer: comíamos salgadinhos que não existiam em Vitória — coxinhas de galinha, maravilhas de camarão e uns sanduichinhos bem finos, acompanhados de milk-shake de morango; eu quase morria de felicidade.

O fato de eu ser magrinha era uma preocupação constante da família na época, e a cada quinze dias eu tinha uma consulta com dr. Josué de Castro, o autor da *Geografia da fome*, que me passava fortificantes e me mandava tomar diariamente uma gema crua inteira, na colher, com um cálice de vinho do Porto. Eu continuo adorando vinho do Porto, mas dispenso a gema: prefiro com queijo da Serra.

Não havia comércio em Copacabana, mas no centro existiam pelo menos duas lojas especializadas em casacos e estolas de pele, a Sibéria e a Canadá. Hoje me pergunto: será que fazia frio no Rio?

Eu queria que acontecesse alguma coisa na minha vida, mas não sabia bem o quê. Ia sempre à única loja de modas em Copacabana, a Sloper, cujas vitrines eu ajudava a fazer, depois de ter ficado amiga das vendedoras. Uma delas se chamava Abigail, e veio a se casar com Nílton Santos, a enciclopédia do futebol brasileiro.

Um dia o telefone tocou. Era um rapaz que eu não conhecia, Augusto Bettencourt, uma espécie de "olheiro" informal da revista *Sombra*, me convidando para ser debutante num baile que aconteceria no Copacabana Palace. Eu tinha catorze anos, e quase desmaiei de alegria.

"Olheiro" era, digamos assim, aquele que prestava atenção nas garotas do bairro — na época uma aldeia — e que, quando descobria uma bonitinha, de boa educação, que se vestia bem, sugeria o nome dela à equipe da revista; um "*social hunter*". E *Sombra* era uma publicação chiquérrima que todo ano escolhia um grupo de moças que, segundo eles, seriam as socialites do futuro. Nem consultei meus pais, já cheguei dizendo que ia. O problema seria o vestido; não éramos pobres, mas dinheiro para um vestido de baile eu não tinha coragem de pedir. Prevendo que as outras meninas iriam com maravilhosos vestidos de renda com alcinhas, comprei uns metros de cetim branco nas Casas Pernambucanas, fiz um *chemisier* — uma camisa longa, praticamente — e fui a sensação do baile.

A maioria das minhas roupas era confeccionada por mim mesma; fiz um curso de corte e costura básico, aprendi a costurar muito bem, e até hoje sei fazer uma bainha de dar gosto. Na época se usava muito vestido de alças — largas — com bolero, aquele casaquinho curto, com meia manga ou manga comprida. E era proibido ficar só com o vestido, pelo menos na frente dos pais. O bolero foi tão marcante que Caymmi compôs uma música, "Vestido de bolero", que teve grande sucesso e, se não me engano, foi gravada por João Gilberto.

O acaso me ajudou: houve o sorteio de uma passagem da Panair para Paris, e saiu meu nome. Quando ouvi "Danuza

Leão", subi ao palco com as pernas bambas para receber o prêmio, nem sei como consegui. Até hoje lamento nunca ter usado aquele bilhete, cuja validade era de apenas um ano. Paris? De que jeito, se eu tinha catorze anos e não conhecia ninguém? Mas uma foto minha foi publicada na primeira página do melhor jornal da época, o *Diário Carioca*, e várias na *Sombra*. Tornei-me uma menina "conhecida", e rapidamente uma das mais badaladas da cidade.

Se não tive infância, tampouco tive adolescência. Nunca tive amigas da minha idade nem namorinhos juvenis, e sempre gostei de pessoas bem mais velhas. Aos quinze anos, eu ia todo dia à casa de Di Cavalcanti, que morava pertinho, no mesmo bairro, num apartamento em cima do Mercadinho Azul. Como conheci Di? Não me lembro, mas foi através dele que fiquei amiga de Rubem (Braga, o cronista) e de Vinicius (de Moraes, o poeta), minha turma até eu ir para a Europa pela primeira vez.

Di era uma figura; falava sozinho, dizia absurdos engraçadíssimos, e acho que jamais tivemos uma conversa de verdade. Às vezes ele dizia, com uma voz em falsete que não era a sua: "Di Cavalcanti passou hoje pela rua da Constituição, onde vai comprar uma casa e ser muito feliz" — e caía na gargalhada. Uma verdadeira criança. Não era muito de namorar, e, apesar de gostar tanto de suas amigas mulatas, um dia surpreendeu a todos se casando com Beryl, uma belíssima inglesa de pele alva, olhos verdes, cabelos naturalmente ruivos; a cara da atriz Greer Garson. Não dava para entender os dois juntos, mas foi uma grande paixão.

Já de manhã, a casa de Di era uma festa, com ele sempre rindo, gargalhando, andando de um lado para outro, mexendo nas tintas, dando ordens à empregada. Todos os dias passavam por lá pessoas que iam conversar e acabavam ficando para o almoço. O arquiteto Oscar Niemeyer e banqueiros como Walter Moreira Salles cruzavam na maior informalidade com Cinturinha, modelo de Di e assídua na casa, e Marina Montini, musa do pintor. Umas cinco ou seis vezes Di me disse que faria o meu retrato. E fez; e me deu um de presente, com dedicatória e tudo. Anos depois, numa época de dureza total, vendi o quadro e fui para a Europa; no primeiro café em que sentei, no primeiro gole do primeiro copo de vinho, fiz um brinde a ele.

Um dia cheguei de manhã, e ele estava tomando banho de banheira com a porta aberta; batia as mãozinhas — elas eram pequenas — na água do banho, rindo como um menino e dizendo: "Di Cavalcanti, Di Cavalcanti". Muito querido, Di.

Era muito bom morar no Rio: as praias quase vazias, poucos carros nas ruas. O supra-sumo do luxo eram as festas no Golden Room do Copacabana Palace. Lá aconteciam os desfiles de moda, lá se escolhiam a Glamour Girl e a Charm Girl, lá se apresentavam os grandes nomes da música internacional. No Copa eu vi Édith Piaf, Yves Montand, Dany Dauberson, e, detalhe: em todas as festas e estréias, o traje era *black-tie*. Para isso eu tinha uma saia preta bem rodada (feita por mim, claro), trocava de top, inventava uma flor no decote, botava um laço colorido na cintura, e estava pronta. Jantares *black-tie* também eram muitos, e havia, ainda, os coquetéis, aonde se chegava às sete, e às nove era servido um picadinho. Tudo sempre igual: as mesmas pessoas, o mesmo picadinho, as mesmas conversas, e eu achava tudo maravilhoso. Quando eu tinha um vestido novo deslumbrante e naquela noite, por acaso, não havia nenhum acontecimento, sem problema: saía com o vestido, e, se alguém perguntasse: "De onde você está vindo?", a resposta era: "De um coquetel na embaixada do Paquistão" — ou da Tchecoslováquia, ou de qualquer outra. Uma mentirinha leve que não fazia mal a ninguém. O corpo diplomático e o mundo político se concentravam no Rio, a capital federal, o que fazia da cidade a mais alegre e movimentada do país.

O Rio mudou, sem dúvida, mas sem essa de saudosismo. Não posso mais andar com meu relógio de ouro em Ipanema? E daí? (Aliás, relógio de ouro é maneira de falar, não conheço coisa mais brega.) Não posso mais voltar de um restaurante a pé, às duas da manhã? Chamo um táxi. Em compensação, posso ir — e vou — ao restaurante que quiser, a qualquer hora, sem precisar de companhia para isso. A vida é assim mesmo: umas coisas vão piorando, outras melhorando, o passado já foi, o futuro não existe, vamos viver o melhor do presente, e pronto. Mas de vez em quando dou uma fugida para duas cidades que adoro e que não mudam nunca, Paris e Veneza, e lá sou despudoradamente feliz.

Eu não perdia nenhuma festa; quando chegava em casa, girava a chave na fechadura com o maior cuidado e entrava já com os sapatos na mão, para que meus pais não acordassem e vissem que horas eram. Um dia recebi um telefonema muito especial: tratava-se de um convite para participar de um baile no Palazzo Grassi, em Veneza. Quem convocava: o jornalista Assis Chateaubriand, que inventou de apresentar ao mundo o algodão do Brasil e levou um grupo, todo convidado, em dois aviões da Panair. Nossa função era apenas ir a todos os lugares com nossos vestidos feitos por costureiros brasileiros. Chiquérrimas, como Tereza Souza Campos, Lourdes Catão e Carmen Solbiati, hoje Mayrink Veiga, embarcaram de chapéu, luvas e uma sacola de mão com uma roupinha para trocar no avião. Claro: eram trinta horas de vôo, com escalas em Recife, Dacar e Lisboa. Chatô, como o chamávamos, não dava a menor bola para nenhuma de nós, nem para as mais bonitas — ele tinha uma paixão, conhecida por todo mundo. Era Aimée Sotto Mayor, mulher linda e cheia de charme, que se casou com um americano riquíssimo e ainda hoje vive em Nova York, numa fantástica *town house* de cinco andares. Além dela, só interessavam a Chatô os ricos e poderosos. Se alguém quisesse encontrá-lo, bastava procurar onde eles estavam. Ele não perdia um minuto do seu tempo com quem não tinha poder.

Chegamos a Roma e, dois dias depois, voamos para Veneza, ainda a cidade que mais amo na vida. Foi beleza além da conta, num tempo curto demais, para minha cabeça tão jovem. Eu queria ver tudo, provar de tudo, saber de tudo, como se o mundo fosse acabar no dia seguinte; me perdia nas ruas de Veneza, sozinha, para ver as coisas com meus olhos. Em seguida, fomos para Paris.

Para ir às festas — que aconteciam diariamente —, levamos um guarda-roupa fantástico, feito pelas melhores *maisons de couture*, como a Canadá, do Rio, e a Vogue, de São Paulo, todo em algodão nacional, tudo pago pelas fábricas — Bangu, América Fabril etc. E a viagem, BLT — boca-livre total.

Carmen Mayrink Veiga era a mais bonita de todas; bonita, não: deslumbrante. Alta, morena, cabelos longos, parecia um pouco a atriz María Félix e despertava paixões por onde passava. Com um nariz um tanto grande para o padrão da época, mais ou menos *à la* Barbra Streisand, teve o bom senso de jamais operá-lo. Carmen era de família rica, e sempre soube o que queria da vida: casar com um homem bonito, de boa família, de preferência rico, e que o casamento durasse para sempre. Conseguiu. Queria também ter filhos bonitos, que também se casassem com pessoas bonitas, de boa família, de preferência ricas, e que os casamentos durassem para sempre. Conseguiu; tudo correu exatamente como ela programou, fora algumas tristezas que a vida às vezes apronta; mas faz parte.

Em Paris, o grupo foi acomodado em hotéis luxuosos, bem perto uns dos outros, como o Plaza Athénée, o Prince de Galles, o George v, o La Trémoille. Diariamente havia almoços e jantares de lugar marcado em homenagem à grande caravana; a embaixada brasileira estava o tempo todo aberta para nós. Mas aquela vida *mondaine* era formal demais, e nela não acontecia rigorosamente nada; era tudo igual, todos os dias, e para mim não tinha mais muita graça. Nessa época, no Brasil, as garotas dançavam o *boogie-woogie*, mascavam chicletes e sonhavam com um bom casamento; se abastado, melhor. Eu sonhava com o existencialismo, com Sartre e Simone de Beauvoir, com Juliette Gréco fumando Gauloises, de *col roulé* preto e olhos pintadíssimos. Não sabia bem do que se tratava, mas gostava do visual e cantarolava as músicas; quando ouvia Gréco cantando: "*Je suis comme je suis, je suis faite comme ça, quand j'ai envie de rire, oui je ris aux éclats*", "Sou como sou, sou feita assim, quando tenho vontade de rir, aí dou gargalhadas" — ah, eu me sentia a própria. Com o dinheiro (pouco) que meu pai havia me dado, um dia desapareci do grupo e me instalei num hotelzinho em Saint-Germain-des-Prés, sozinha. Foi a melhor coisa que fiz. (A viagem, com tudo pago, durou cerca de um mês.)

Era verão, e fiquei zanzando por Paris durante cerca de dois meses, vasculhando tudo sem conhecer ninguém, comendo crepes na rua, feliz, feliz, feliz. Andei a pé por toda a cidade, que conheço como a palma da minha mão; fiz o que faz todo jovem que vai para lá pela primeira vez, até que aconteceu o inevitável: o dinheiro acabou.

Voltei em agosto, e meu pai não fez muitas perguntas. Por um lado, ele pensava que eu estava tendo a enorme chance de conhecer o mundo e que a liberdade era fundamental. Por outro, queria ficar na ilusão de que eu tinha o comportamento-padrão das meninas; sendo assim, melhor mesmo não perguntar. Naquele tempo eu saía toda noite, e, quando meu pai achava que eu estava exagerando, a ameaça era sempre a mesma: "Eu ponho você pra fora de casa". Eu morria de medo. Ele achava que eu devia ser independente, mas nunca me sugeriu estudar para seguir uma profissão. Sempre se recusou a ter um emprego público, mas algumas vezes insinuou que eu poderia me candidatar a um trabalho num ministério, daqueles que dão segurança a vida inteira. Essa ambigüidade me confundia, e só bem mais tarde compreendi que isso é normal: ao mesmo tempo que vivemos uma vida livre, cheia de aventuras, queremos para nossos filhos estabilidade material e afetiva.

Na casa dos meus pais nunca se falou de sexo, nunca tive orientação de nenhuma espécie sobre o assunto, e via muito claramente meu pai no telefone falando (e achando que ninguém estava percebendo) com mulheres, ou com um amigo mas sobre mulheres. Como em toda família fica sempre estabelecido que um parece com o pai, outro com a mãe, na nossa ficou assim: eu era igual a meu pai, e Nara igual à minha mãe. E, como não existia essa coisa de religião, eu fazia exatamente o que passava pela minha cabeça — num tempo em que meninas de família, da minha idade, se comportavam de outra maneira. Eu não estava nem aí, fazia só o que queria, tudo o que queria, e o melhor: sem culpa.

Continuei minha vida no Rio com os mesmos amigos e, na minha ânsia de autonomia, arranjei um trabalho como secretária numa companhia de seguros, no centro da cidade. Ia e voltava de ônibus e, como recebia salário, já não pedia dinheiro a meu pai. Lembro bem: o salário mínimo era dois mil e quatrocentos qualquer coisa, e eu ganhava dois mil e quinhentos. E me achava riquíssima.

Lila Bôscoli e eu éramos amigas, e estávamos juntas no dia em que conhecemos Vinicius, por intermédio de Rubem Braga. Eu não ouvi, mas reza a lenda que foi assim: "Lila, esse é Vinicius, Vinicius, essa é Lila, e seja o que Deus quiser". Sábio Rubem: os dois se apaixonaram no primeiro olhar, e foi um rolo. Vin, como ela o chamava, estava chegando de Los Angeles, casado com Tati, mãe de Suzana e Pedrinho; como ele só sabia viver apaixonado, rapidamente se separou e foi morar com Lila.

Vinicius foi um grande amigo; apesar de ser um intelectual de verdade, tinha tempo e paciência para ouvir problemas bobos, dar opinião sobre meus pequenos dramas amorosos. Era sempre a favor do amor: "Está apaixonada? Então vá em frente". Já Lila era uma sedutora, de uma beleza estranha, totalmente diferente das moças da época; quando entrava num lugar, todos os homens olhavam para ela. E falava com o cigarro caído no canto da boca, como atriz de cinema francês.

A vida era fácil — "Pintou uma viagem, quer ir?". Essas viagens eram patrocinadas por algum órgão governamental interessado em cinema ou teatro, algo vagamente a ver com a cultura, e sempre o responsável convidava um amigo ou amiga que não tinha nada a ver (no caso, eu), igualzinho a agora. Poucos meses depois de eu voltar de Paris, surgiu outra viagem, dessa vez para Punta del Este, onde estava acontecendo um festival de cinema para o qual vários brasileiros foram convidados, inclusive eu, e também Vinicius com Lila. Estávamos em janeiro de 52. Consegui uma semana de licença e lá fui, com o casal recém-juntado.

Nesse festival, onde mais se ficava na beira da piscina do que se assistia aos filmes, conheci Daniel Gélin, então astro de primeiríssima grandeza no cinema francês — quem não se lembra de *La ronde*, de Max Ophüls? Aliás, alguém se lembra? Vou contar: *La ronde* foi feito em 1950, com um maravilhoso grupo de atores, como o próprio Daniel, Simone Signoret, Danielle Darrieux, Jean-Louis Barrault, Gérard Philipe. A história era como o poema de Drummond: "João amava Teresa que amava Raimundo que amava Maria que amava Joaquim" etc. etc., até que a roda se fecha. Foi um grande sucesso, e é um clássico do cinema francês.

Daniel era um caso perdido; parecia aquele "cara" da música de Caetano, "Ah, que esse cara tem me consumido", lembra? "Ele está na minha vida porque quer, eu estou pro que der e vier, ele chega ao anoitecer, quando vem a madrugada ele some" (com ele era o contrário, ele aparecia na madrugada). Perdido, casado e cheio de charme e sedução, daqueles a quem não se resiste — e eu não resisti. Toda mulher deveria conhecer um homem assim na vida. Menos nossas filhas, claro.

Foi uma paixão fulminante. Depois do festival ele passou um mês no Rio (para minha felicidade meus pais estavam numa estação de águas), viu o Carnaval, e, quando foi embora, fiquei amargando uma paixonite sem solução. Cartas para lá, cartas para cá — mais minhas do que dele —, e numa delas ele me contou que tinha acabado de saber do nascimento de uma filha, Maria. Um bebê fora do seu casamento — bem francês, aliás — com a atriz Danièle Delorme. Curiosidade: Maria é Maria Schneider, atriz do *Último tango em Paris*, com Marlon Brando.

Aí pintou outra viagem, dessa vez direto para Paris. Descobri, sem esforço, que uma carreira numa seguradora não tinha nada a ver comigo; pedi demissão e só pensei numa coisa: rever Daniel.

O esquema era o mesmo: o algodão brasileiro etc. e tal, e a grande festa foi no castelo de Corbeville, do costureiro Jacques Fath. Do Brasil estavam, além das socialites de sempre, dona Darcy e Alzira Vargas — e isso com Getulio presidente. Como vim a saber mais tarde, Samuel Wainer chegou a procurar Vargas para lhe pedir que impedisse a mulher e a filha de irem ao baile, já que a campanha contra o presidente estava violenta e a festa prometia ser de arromba; Getulio tentou, mas não conseguiu.

Foi a primeira vez que entrei num castelo (em Veneza havia sido um *palazzo*); fiquei boquiaberta. Estavam na festa as pessoas mais famosas do mundo social, cultural e da moda européia, mas eu não conhecia ninguém; só soube que eram famosas depois, pelos jornais. Eu me deslumbrei. Entrei no baile vestida de Maria Bonita — roupa de couro e chapéu de cangaceiro —, e por mim aquela noite não acabaria nunca.

De Daniel, só tinha o endereço: 44, avenue de Wagram. Com dezoito anos, sem nem pensar no que fazia, bati na porta da casa dele. Fui recebida pela mulher, que pelo visto estava acostumada a aparições de jovens seduzidas. Danièle perguntou meu nome — já devia saber quem eu era: Daniel era daqueles maridos sinceros, que contam tudo — e deu a informação de que eu precisava: ele estava filmando em Roma, morando no Hotel de la Ville. Consegui o telefone, liguei, ele me disse que em dez dias estaria de volta a Paris. Chegou, fomos almoçar, e desapareci do grupo brasileiro por quarenta e oito horas.

Ele se drogava, e eu, que nunca tinha ouvido falar de droga, naqueles dois dias entrei na pior delas, a heroína. Me senti meio fora do ar, anestesiada, achando tudo maravilhoso; lembro bem que pensei como seria bom passar o resto da vida tendo aquelas sensações.

Quando voltei para o hotel, o Montaigne, fui para o quarto de Lila e Vinicius (era uma república de amigos, o Montaigne — lá moravam Biagine de Fawes, que mais tarde se tornou Visconti, quando se casou com Nicolò Visconti, membro de uma das mais nobres famílias de Milão; Sophie, que depois se uniu a Anatole Litvak, diretor de cinema que fez *Anastasia*, filme com Ingrid Bergman, e Paule, que veio a se casar com o fotógrafo de moda Willy Rizzo) e contei tudo. Vinicius, que era diplomata de carreira e acabara de chegar para assumir um posto na embaixada do Brasil, mesmo não tendo nada de repressor, me disse para tomar cuidado, que era perigoso, que eu não entrasse naquela, mas não liguei muito. Na verdade, não estava nem aí, só pensava em Daniel, com quem ia me encontrar às nove da noite no Bar des Théâtres, que ficava no próprio Montaigne.

Esperei até as dez, onze, meia-noite, e ele não apareceu. Um amigo chegou e contou que tinha passado por um bar ali perto, onde se reunia o pessoal de cinema — sobretudo as *starlettes* —, e vira Daniel numa boa, bebendo e conversando. Levei um choque, o primeiro de muitos.

O que sempre me salvou, em várias e diferentes circunstâncias, foi ou a sorte ou o instinto de sobrevivência; eu chegava na beira do poço, mas saía fora antes de cair nele. A experiência com heroína poderia ter me destruído — eu era uma garota e estava, sozinha e apaixonada, numa cidade estranha. Hoje, quando penso, acho que foi uma sorte Daniel não ter aparecido aquela noite.

O comportamento dele não se modificou; fui sofrendo e aprendendo o que era a vida, bem como meu pai dizia. Continuamos a nos ver — quando ele queria, quando não estava com as maravilhosas atrizes italianas com quem filmava. E, quando ele aparecia — se aparecia —, eu esquecia tudo.

Um dia recebi uma carta dura de meu pai — praticamente não havia telefonemas internacionais. Ele tinha descoberto cartas comprometedoras de Daniel — cartas de amor endereçadas a nossos filhos são sempre comprometedoras —, e exigia que eu voltasse imediatamente. Eu queria tudo, menos voltar. Fui para o colo de Vinicius, desesperada, pedir ajuda; ele teve a paciência de rascunhar para meu pai, como se fosse minha, uma carta que eu copiei com extremo cuidado e enviei. Na carta, muitíssimo bem escrita, o poeta dizia que eu estava procurando meus caminhos na vida com a liberdade que ele, meu pai, sempre havia ensinado; essas palavras calaram fundo no coração de papai, mas não sei se o dr. Jairo, tão inteligente, engoliu o texto como meu. O que importa é que o truque colou. E o principal: eu fiquei.

Um dia chegou a hora de voltar; eu não queria, mas o dinheiro tinha acabado, e trabalhar seria o único remédio.

Ainda que meu francês tivesse melhorado, as chances de um emprego eram nulas. Tive uma idéia: bati na porta de Jacques Fath e, sem nenhum constrangimento, me ofereci como modelo. Ele topou na hora, e entrei numa nova etapa. Morar em Paris, meu sonho de toda a vida, e independente, sem precisar da ajuda de ninguém, era demais.

Fiz muito sucesso — no Brasil. Pelo fato de eu ter sido a primeira modelo brasileira contratada por uma *maison de couture* francesa, a Manchete me estampou na capa com o título "Danuza conquista Paris". Não era bem assim, mas os brasileiros acreditaram.

A vida das manequins era muito diferente da vida das modelos de hoje. Às dez horas eu já estava na *maison* para fazer as provas da coleção seguinte. Em pleno verão, vestia roupas pesadas de tweed, e as costureiras marcavam com alfinetes os ajustes e as bainhas — as saias deveriam ser a trinta e cinco ou quarenta centímetros do chão; tudo isso sob o olhar vigilante de Fath, que ao mesmo tempo criava o que seria a moda do novo ano. No inverno, provávamos maiôs e vestidos leves. Tínhamos um intervalo rápido para almoçar, íamos para a maquiagem e às três da tarde, todos os dias, desfilávamos a coleção. O salão ficava lotado de milionárias que, sentadas nas clássicas cadeiras douradas, escolhiam vestidos caríssimos para se exibir pelo mundo. Só as convidadas, isto é, as compradoras em potencial, entravam nos desfiles.

O salário era baixo: dava para pagar o hotel, sempre o Montaigne, o táxi e o almoço — pouco mais que uma folha de alface. Fath exigia que, aonde quer que fôssemos, vestíssemos os modelos da coleção; por isso eu não tinha despesas com roupa e estava sempre elegante. E havia as fotos para as revistas de moda, como *Jardin des Modes* e *Vogue*, que davam uma graninha a mais, mas nada de espetacular.

Meu quarto era mínimo, com um banheiro micro sem banheira nem chuveiro. Aprendi com as francesas: meu banho era passar no corpo uma luva de crina ensaboada, equilibrando-me na pia. Uma vez por semana, eu me dava ao luxo de ligar para a portaria e pedir que preparassem um banho para mim na única banheira do hotel, no segundo andar. Descia vestida com um robe de toalha e me regalava. Detalhe: o banho era pago.

A moda francesa tinha, naquela época, uma importância enorme, e era uma das maiores fontes de divisas da França. Ainda não existiam costureiros americanos nem italianos. Quando uma coleção estava para ser lançada, havia um serviço quase de espionagem para descobrir se as saias iam ser mais longas ou mais curtas, passar a informação e as butiques mostrarem as novas tendências.

Mesmo gostando de Daniel, eu não ficava em casa pensando nele. Pensava, mas, enquanto pensava, fazia a ronda das boates da moda. Muitas vezes nos cruzamos, ele sempre num bando; meu coração batia um pouco mais forte, e quase sempre acabávamos juntos. Eu sofria, claro, mas acho que não existe sofrimento melhor que o de amor quando se tem dezoito anos.

Adorava minha vida; ser manequim de uma grande *maison de couture* era muita coisa, e abria portas. Mesmo com pouco dinheiro, tínhamos acesso a festas extraordinárias, fins de semana em castelos onde havia caça à raposa — os caçadores de vermelho, uma matilha de cachorros, trombetas, igualzinho nos filmes —, e ainda viajávamos para fazer fotos, sempre com tratamento vipérrimo, hospedadas em hotéis luxuosos como o Excelsior, em Roma, o Principe di Savoia, em Milão, ou o Carlton, em Cannes. Íamos em grupo, e, quando chegávamos — na minha memória, eram cidades relativamente pequenas, onde todo mundo de uma certa turma se conhecia —, era uma sensação.

Em Paris, naquela época, o pessoal da moda fazia do Hotel Montaigne — dada a sua proximidade com as *maisons* de alta-costura — o seu *quartier général*. Era lá que moravam as manequins estrangeiras e se hospedavam os fotógrafos e as editoras das mais famosas revistas do mundo; na hora do almoço, todos se encontravam no Bar des Théâtres, que ficava embaixo, e combinavam o programa da noite. Foi onde conheci o fotógrafo Robert Capa, que namorava Alá, musa de Dior quando foi lançado o *new-look*; a dupla da *Harper's Bazaar*, Joe Eula e Milton Greene, e também Sydney Chaplin, que havia chegado dos Estados Unidos com seu pai e toda a família para promover o filme *Luzes da ribalta* (e Charles Chaplin foi recebido em toda a Europa como um rei). A turma mais elegante almoçava em frente, no Relais do Plaza, e esses dois grupos freqüentemente se cruzavam.

Foi em Paris que conheci o mundo da sofisticação, que aprendi que o maior costureiro da história da moda foi Balenciaga, que existem — existiam — trinta e cinco tons de azul-marinho, outros tantos de preto e centenas de branco. Como viver sem essas preciosas informações?

O povo do cinema e do teatro freqüentava Saint-Germain, ia ouvir Mouloudji e depois dançar na Discothèque, na rue Saint Benoît, onde o Café de Flore faz esquina. A Discothèque ficava numa cave, e foi o primeiro clube tipo *privé* que conheci. Não havia porteiro, e os privilegiados entravam com sua própria chave — nada mais familiar. Lá dentro fervia.

É meio ridículo ficar citando nomes de famosos, mas, só para dar o clima: como as mesas eram toscas e não havia cadeiras, apenas banquinhos, de repente você estava praticamente encostada em Simone Signoret e Yves Montand, nas atrizes Eleonora Rossi Drago e Anouk Aimée, nas modelos Sophie e Bettina, ou nos célebres playboys da época, o príncipe Ali Khan e Porfirio Rubirosa, que apareciam, curiosos, para conferir o lugar onde se encontrava aquela turma estranha e interessante que falava e discutia em meio a nuvens de fumaça e tonéis de bebida. Se eu estava com Daniel, sentávamos todos juntos e as conversas eram as mesmas de quando um grupo de pessoas inteligentes se junta para beber e curtir a noite, em Xangai ou em Buenos Aires — sobre um filme a ser feito ou algum projeto rocambolesco saído da cabeça de algum louco. Às vezes se caminhava até o Rose Rouge, três quarteirões adiante, para dançar ao som de Charlie Parker, Sidney Bechet ou Gerry Mulligan — ao vivo; depois se voltava e continuava a noite, que não acabava nunca. Na madrugada já alta, um *croque-monsieur* com um copo de vinho, e no dia seguinte tudo de novo.

Nas fases em que estava tentando se livrar das drogas e me reconquistar — como se precisasse —, Daniel me levava ao Mars Club, numa travessa da rue Marbeuf, onde um jovem e promissor pianista e cantor americano, Bobby Short, tocava a noite toda, e tomávamos Pimm's Nº 1. Quando Daniel chegava, de camisa preta com a gola levantada atrás, sem dizer uma palavra, sem se desculpar pelo desaparecimento, sem mentir, sem contar história alguma, eu esquecia tudo; se eu reclamava, ele ria, me envolvia no seu charme, e pronto. Informação etílica: o Pimm's Nº 1 é um coquetel delicioso, feito com uma bebida derivada do gim, misturada a ervas e frutas; de teor alcoólico baixo, é a cara do verão londrino.

Quando, no Brasil, conheci Bobby Short e contei que ia ao Mars Club para ouvi-lo tocar e cantar, Bobby mal acreditou. Acho que nem ele lembrava dessa fase.

O mundo naquela época era bem diferente. Para dar uma idéia: o príncipe Ali Khan, que ganhou fama quando se casou com Rita Hayworth, era filho do Aga Khan, líder espiritual do Paquistão. Bastante idoso, casado com uma ex-miss França, o Aga vivia na Côte d'Azur. Uma vez por ano, no dia de seu aniversário, ele ia a Karachi, onde, numa cerimônia em praça pública, aplaudido e adorado por um povo pobre e faminto, subia numa imensa balança daquelas antigas, de farmácia de manipulação, com dois pratos. Ficava de pé num deles, enquanto no outro iam sendo colocados diamantes e barras de ouro até atingir o peso do Aga, que era bem gordo. Tudo normal; ninguém achava nada de mais, ninguém se revoltava; não se falava de justiça social naquela turma.

Nunca vou esquecer de uma história contada por uma amiga que foi passar uma temporada no palácio de um marajá, na Índia. De manhã, quando ela acordava e abria as portas da varanda do quarto, via um jardim maravilhoso, todo florido; no dia seguinte, o jardim estava totalmente diferente, tanto na disposição das flores como na natureza delas. O jardim era trocado todas as noites; apenas uma pequena delicadeza com os convidados.

E sucesso fez a manequim Nina Dyer, quando começou a namorar o industrial alemão Heini Thyssen, que além de tudo era barão. Um dia ela entrou no Relais, na hora do almoço, com um filhote de pantera nos braços usando — a pantera — um colar de pérolas negras, então muito raras. Nina e Heini se casaram, mas a união foi curta, e *le tout* Paris veio a saber que, logo depois do casamento, ela deu um avião de presente a Christian Marquand, por quem era apaixonada.

Marquand foi o galã de Brigitte Bardot em *Et Dieu... créa la femme* e teve um caso com Marlon Brando, que, apaixonado, botou o nome de Christian em seu primeiro filho. Somente as pessoas do *milieu* souberam do caso, que não chegou a se tornar público porque ainda não existiam as revistas de fofocas. O segundo casamento de Nina, logo em seguida, foi com o irmão de Ali, o príncipe Sadruddin Khan. Essa mulher deslumbrante se matou aos trinta e cinco anos.

Conheci Heini bem mais tarde, quando, já separada de Samuel, morava em Paris. Foi numa das viagens que fiz ao Rio, num jantar em casa de Israel Klabin oferecido a David Rockefeller. Bonito, doce, charmoso, Heini parecia o ator americano Richard Widmark, e ainda por cima falava com sotaque alemão, o que era delicioso. Só tinha um defeito (para mim): era rico demais. Fiquei apavorada quando pensei no que seria jantar na Villa Favorita, em Lugano, onde ele vivia e tinha um museu particular com uma soberba coleção de arte. E se eu pegasse o garfo errado? E se não estivesse vestida como devia? E se me perguntassem o que achava de um determinado quadro? E se eu não tivesse assunto? E se ele pensasse que eu estava interessada na sua fortuna? Heini era conhecido por presentear as namoradas com jóias magníficas. Na minha fantasia, eu imaginava que ele poderia me dar de presente uma suástica de rubis; não conseguia esquecer que os canhões de Hitler foram feitos com o aço da Thyssen, e eu tinha três filhos com o sobrenome Wainer. Difícil administrar uma situação dessas — e eu não administrei. Anos depois, numa viagem com o dinheiro contado, fiz uma conexão em Frankfurt e, quando vi na pista do aeroporto vários daqueles imensos tambores — de diesel ou gasolina, não sei — nos quais estava gravado, bem grande, "Thyssen", me dei conta de que nunca tive vocação para milionária. Uma pena? Talvez.

Hoje sei que sempre fui intuitiva; sacava as coisas sem fazer muitas elucubrações, e acho que não foi só por não saber administrar o lance que o caso com Heini não foi adiante. É preciso ter vocação e capacidade de grandes renúncias para casar com um homem rico — e, quanto mais rico, pior. As mulheres de homens ricos passam a usar os vestidos mais lindos e as jóias mais maravilhosas, mas têm de abdicar de suas vontades, abandonar todas as amizades do passado, e se tornam um objeto na vida desses homens. Elas os acompanham nas viagens, a maior parte das vezes de negócios, só convivem com as mulheres daqueles com quem os maridos têm transações empresariais, devem estar sempre prontas, elegantes e pontuais para o que quer que eles determinem, e muito dificilmente têm o direito de dizer não a alguma dessas obrigações, escolher a cidade para passar as férias ou o filme que vão ver. São, praticamente, escravas; de alto luxo, mas escravas. E me pergunto se algum dia, com a cabeça no travesseiro, elas não se arrependem da escolha que fizeram. Cada uma sabe de suas prioridades, mas quem quer ser livre que tire da cabeça a idéia de se casar com um milionário.

Lembro da primeira vez que vi Dado Ruspoli, príncipe italiano, o homem mais bonito da época, famoso por suas excentricidades. Num tempo em que a moda masculina não existia, ele surgiu na *piazzetta* de Capri de calça comprida vermelha, camisa de seda preta, largona, tipo cigana, e descalço; no ombro, um falcão (vivo) com uma corrente de ouro na pata que ia até o pulso de Dado — mais *dolce vita*, impossível. (Se por acaso alguém achar que esse visual é de gosto duvidoso, lembro que naquele tempo, pelo menos para um certo grupo, não havia a ditadura da moda — cada um fazia o que queria, e, quanto mais criativo e ousado, melhor. Uma vez, em Paris, cortei o cabelo bem curtinho, pintei de laranja e fiz mechas pretas, meio *à la* leopardo. Em outra ocasião, num trem, na Itália, abri o estojo de maquiagem e usei o batom vermelho como sombra de olho e a sombra verde como batom — foi um sucesso.) Dado fumava ópio, e, sempre que acendia o narguilé, seu cachorro sentava ao lado dele, numa almofadinha bordada, para aspirar o que sobrava. Todos pareciam muito felizes, até que um dia chegou a notícia: Francesca, mulher de Dado, tinha se atirado de um prédio. Muitos outros se mataram; era uma vida louca de uma época louca.

Esses acontecimentos faziam parte das extravagâncias de um certo mundo. Fui me acostumando a eles e achando que aquelas pessoas eram reais, que aquela era a vida real. Tudo era simples, *la belle vie*, duradouro, e ninguém pensava que o mundo podia ser diferente.

Mas era. As *maisons de couture*, por exemplo, só podiam empregar estrangeiras pelo prazo de um ano, e um dia meu prazo venceu. Não houve jeito: era hora de voltar. Daniel estava filmando na Espanha, eu queria fazer qualquer coisa para ficar em Paris, mas não tive nenhuma idéia brilhante. Resolvi então me proporcionar uma despedida inesquecível.

Como Daniel já tinha se separado da mulher, não havia meios de descobrir seu paradeiro, e eu só sabia que ele estava em Sevilha. Fiz minhas malas e tomei um avião, disposta a sei lá o quê.

No aeroporto peguei um táxi e disse ao motorista que fosse rodando pelos hotéis da cidade, começando pelo melhor. Ele ia parando, eu saltava e perguntava na recepção se *el señor* Gélin estava hospedado no hotel. Lá pelo quinto, encontrei. Sim, *el señor* Gélin era hóspede, mas tinha ido à *corrida de toros*. Estávamos em plena Feria de San Isidro, e havia touradas todos os dias. Fui para o bar com as malas, que não eram poucas, e esperei.

Hoje me pergunto como tive coragem. Corria o risco de encontrar Daniel com alguma mulher, mas não pensei nisso. E se encontrasse, o que ia fazer? Não sei, na hora eu resolvia. Lá pelas oito da noite ele chegou, sozinho, e ficou radiante quando me viu. Cancelei meu vôo para o Brasil e passei dois meses em Sevilha e mais um em Madri.

A Espanha estava no auge da moda. À noite, nos bares de Sevilha, podia-se ver Ava Gardner, que tinha uma queda por toureiros, bebendo manzanilha e dançando *flamenco* em cima das mesas até amanhecer. Eu mandava telegramas para a família a cada três dias dizendo: "Estou chegando, estou chegando" — e ficava. Mas em Madri, quando começaram as filmagens, a festa acabou. Não tinha muita graça esperar o dia inteiro por um homem que chegava cansado. Depois, íamos jantar com a equipe, todos só falavam do filme, e, de quebra, na mesa ainda havia algumas espanholas para quem Daniel não deixava de fazer charme. Nessa ocasião, juntaram-se a nós Sylvie Hirsch, manequim de Dior, e seu namorado, Claude Cartier, herdeiro da famosa joalheria. Eu me abria com Sylvie, mas minhas decisões eu tinha que tomar sozinha.

Ainda em Madri, Daniel entrou pesado nas drogas, e mais uma vez meu instinto de sobrevivência me salvou. Percebi que não dava para ficar, e, quando ele soube que eu iria voltar para o Brasil, houve um papo — vago — sobre casamento. Daniel não estava querendo casar comigo de verdade, apenas precisava de alguém que pusesse um freio em suas loucuras, papel que eu não saberia assumir. Além disso, e acima de tudo, eu não confiava nele — não se pode confiar em ninguém que se droga —, que era maravilhoso para namorar, mas não para casar. Um ano depois, soube que Daniel e Sylvie haviam se casado mas que o casamento não durou. Que ótimo.

Foi difícil. Eu tinha consciência de que, quando pegasse o avião, estaria deixando não só Daniel, mas também uma fase importante da minha juventude, uma fase que não tinha volta. Como sempre tive certa tendência a dramatizar, achei, naquela hora, que era o fim da minha vida. Viajei aos prantos — nessa idade se chora por amor. No Brasil, tive grandes dificuldades de me readaptar, não sabia o que fazer, estava sem perspectivas para o futuro. Estudar? Trabalhar? Alguma coisa ia acontecer, tinha que acontecer, eu só não sabia o quê.

Às vezes fico pensando no que teria sido minha vida se não tivéssemos nos mudado para o Rio. Teria me casado e continuado em Vitória para sempre, quieta e cheia de filhos? Ou teria feito como Dora Vivacqua, prima de minha mãe, que fugiu de casa e foi ser Luz del Fuego? Informação aos mais jovens: na década de 40, Dora inventou um número de dança que fazia, quase nua, com uma cobra viva. Anos mais tarde, já em decadência, comprou na baía de Guanabara uma propriedade que seria a primeira ilha de nudismo do país. Coitada, foi assassinada pelo caseiro, e encontraram seu corpo no fundo do mar, com a barriga cheia de pedras. Muito tempo havia se passado, e, quando essa tragédia aconteceu, quase ninguém se lembrava dela.

3

Cheguei ao Rio completamente deslocada. Não, não era descolada: era deslocada mesmo. A meus pais não podia contar minhas aventuras com Daniel — era melhor que não soubessem. E ainda havia uma menininha, Nara, que deixei com seis anos, agora tinha oito, e que eu estava começando a conhecer. Pela diferença de idade, nossas vidas eram distantes; eu saía toda noite, Nara era estudiosa; quando ela estava em casa, eu dormia; quando ia para o colégio, eu estava na praia — não havia muito assunto entre uma criança de oito anos e uma manequim vinda de Paris. Por uma grande timidez, sobretudo comigo, Nara também não chegava muito perto, e eu nem sabia falar com criança — e continuo sem saber. Nessa época foi assim; só fomos nos aproximar mais tarde, quando ela já era adolescente.

Fazer uma vidinha social de festinhas, nem pensar. Eu só achava graça em meus amigos de sempre — Di, Rubem, Fernando Sabino, mas não queria namorar nenhum deles nem ninguém; era tudo tão diferente, depois dos dois anos que tinha vivido. Nós nos encontrávamos toda noite no Tudo Azul, o primeiro piano-bar de Copacabana, onde, reza a lenda, tocou Tom Jobim; se é verdade, não sei, pois estávamos mais interessados em conversar do que em prestar atenção na música. Mais tarde trocamos de pouso e nos transferimos para o Maxim's, na avenida Atlântica. Nessa época Rubem teve uma queda, digamos, por mim — não correspondida. Rubem era um homem sério, que falava pouco, de uma simplicidade comovente; alguns diziam que parecia um urso. Ele e Samuel haviam sido amigos, até que Rubem e Bluma, primeira mulher de Samuel, se apaixonaram. O casamento acabou, a amizade também. Mas, como o mundo gira e a Lusitana roda, anos depois Samuel e eu nos casamos, um dia os dois fizeram as pazes e ficaram amigos de novo.

•

Uma noite, num bar — era junho de 53, e eu tinha dezenove anos —, um amigo, Sérgio Figueiredo, disse que ia visitar Samuel Wainer na cadeia e perguntou se eu não queria ir. Fui, claro, sem saber se Samuel era da Máfia, aliciador de mulheres ou assaltante de bancos. Achei muito interessante visitar um homem preso e, quando o conheci, senti uma grande atração por ele. De que tipo, eu ainda não sabia direito. Ele era lindo, com olhos azuis penetrantes, um ar irresistível de sofredor — e estava preso, além de tudo. Já corria a lenda no Rio: quem não quisesse cair no charme de Samuel que ficasse longe dele.

O que fez Samuel nesse encontro? Charme, naturalmente, mais do que de costume. Perguntou sobre a minha vida e se interessou pela minha experiência como modelo; inteiramente à vontade com seus, digamos, problemas carcerários, parecia estar num bar em Nova York, tal a naturalidade com que se comportava. Fiquei fascinada por aquele homem tão inteligente, com uma vida tão diferente da minha, e, se naquela mesa tosca da delegacia tivesse uma garrafa de uísque, gelo e copos, teríamos ficado conversando até alta madrugada.

Ele estava preso por ter se negado a responder a umas perguntas da CPI de seu jornal, a *Última Hora*. Naquele momento, qualquer coisa que fizesse servia de pretexto para que o prendessem. Explicando melhor: a Comissão Parlamentar de Inquérito foi instalada para descobrir de onde tinham vindo os recursos para Samuel fundar a *Última Hora*; o objetivo real era derrubar Getulio Vargas, já que o jornal o apoiava; por isso, tudo foi feito para provar que o dinheiro saíra dos cofres públicos, o que nunca foi provado, uma vez que não era verdade. Assim que o soltaram, Samuel me ligou, e logo começamos a namorar. Como aquele homem, dono de um grande jornal, que já havia sido exilado, assistira ao julgamento de Nuremberg e era íntimo do presidente da República, podia achar graça em mim? Mas achava, e muita.

Para quem não conhece a história: depois de ter sido ditador durante oito anos, Vargas foi deposto e se exilou em sua fazenda no Rio Grande do Sul; estava quase esquecido, quando Samuel conseguiu entrevistá-lo para o jornal onde trabalhava, que pertencia a Assis Chateaubriand. Com a estrondosa repercussão da entrevista, que caiu como uma bomba nos meios políticos, Getulio começou a pavimentar sua volta à Presidência, dessa vez concorrendo numa eleição democrática — e foi eleito. Getulio gostou do repórter, os dois ficaram amigos, e com sua ajuda indireta Samuel fundou a *Última Hora*. Para ódio dos concorrentes, o jornal foi um grande sucesso. Foi o primeiro jornal verdadeiramente popular do país, que estampava na primeira página fotos de times de futebol, quando os outros se dedicavam apenas às notícias internacionais; foi também o primeiro a usar cores, e o único a apoiar Vargas, que era querido pelo povo (tinha obtido uma vitória consagradora), enquanto os demais teimavam em ignorar a existência do presidente e do governo. Chateaubriand ficou louco de ódio, e atacou Samuel de todas as maneiras possíveis. Aliás, diante do êxito da *Última Hora*, todos os jornais passaram a massacrá-lo. Todos, sem exceção.

Quando nos conhecemos, fazia uns quatro anos que ele vivia com Isa Sá Reis. Sua primeira mulher tinha sido Bluma Chafir, a quem todos os que conheceram adoravam — um casamento de juventude que durou catorze anos. No momento em que entrei em cena, a união com Isa já estava em seus estertores, e acabou sem drama. Samuel fez uma malinha e foi morar num hotel. Passamos a nos ver todos os dias; acho que só comigo ele se distraía dos seus muitos problemas, que fui aos poucos conhecendo.

Mas existia Carlos Lacerda, que queria destruir Samuel e seu jornal. Lacerda, que representava o que havia de mais irascível na direita brasileira, era dono da *Tribuna da Imprensa*, um grande fracasso jornalístico. Ele tinha sido amigo de juventude de Samuel e, por problemas que só Freud explica, virou seu maior inimigo; foi uma luta sem trégua, e não sei como Samuel teve, naquele momento, cabeça para namorar.

Minha vida começou a ser esperar todas as noites que Samuel passasse na casa de meus pais e saíssemos para jantar. Ele chegava, se atirava num sofá e cochilava, de tão cansado. Acordava meia hora depois, e íamos, a pé, a um restaurante na rua Constante Ramos, o La Cloche d'Or. Enquanto andávamos pelas ruas meio vazias de Copacabana, ouvíamos, vinda das TVs dos apartamentos escuros, a voz de Lacerda dizendo horrores de Samuel. Isso toda santa noite.

Mas Samuel não se abalava; bebia um coquetel chamado Old Fashion, muito na moda então, que era servido em copo curto, com uma cereja espetada num palito. Tomava dois, no máximo; fumava muito, Chesterfield, e comia *grenouilles à provençale* — rã com molho de manteiga e alho.

Eu tinha dezenove anos, ele quarenta e um, só quatro a menos que meu pai, que o achava inteligente e lutador (e devia achar também que já estava na hora de eu sossegar). Voltávamos para minha casa; se era cedo, Samuel se estirava de novo no sofá, descansava um pouquinho e voltava para o jornal. Detalhe saboroso: Lacerda tinha um irmão, Maurício, e os dois eram brigados de morte. Anos depois de se separar de Samuel, Isa casou-se com Maurício.

Meu pai não se interessava por política, mas conhecia as pessoas, e tinha horror a Lacerda, a quem achava um demagogo; conseqüentemente, era simpático a Samuel, e não opôs nenhuma resistência a nosso namoro.

O motorista e os seguranças esperavam na porta da minha casa, já que Samuel não sabia dirigir. Tempos mais tarde, ele aprendeu comigo. Ah, como ficou orgulhoso! Dirigia com o vidro aberto, o braço na janela; fiz tudo para ele botar o braço para dentro, mas nunca consegui. O maior elogio que alguém podia fazer a ele era cumprimentá-lo por suas proezas no trânsito. Também dei um *up* no seu guarda-roupa; ele, que se vestia com ternos escuros e só tinha meias pretas na gaveta, encomendou uns ternos claros e começou a usar camisas azul-claras, que combinavam com seus olhos. Nas tardes de sábado íamos à praia; a *Última Hora* era um jornal vespertino, e naquela época vespertinos não circulavam aos domingos.

No início do namoro, Samuel um dia me contou que era estéril. Quer dizer, *achava* que era, já que não tivera filhos nem com a primeira mulher, nem com a segunda, que já tinha uma filha de uma união anterior. Quatro meses depois, eu disse a ele que estava grávida.

Samuel me olhou meio de banda; afinal, quando o namoro começou, ele ainda estava casado, eu saía toda noite (nunca, nem no auge de minhas paixões, fiquei em casa; se estava sofrendo, sofria, mas na rua), e nossa convivência não era assim tão longa para que ele confiasse cegamente em mim; logo ele, que achava que nunca ia ter um filho. Só que era verdade.

Seus problemas políticos na época eram muitos, e ser pai naquele momento era a última coisa que passaria por sua cabeça. Alguns dias depois, quando ele ainda tentava digerir, digamos assim, a notícia, o problema se resolveu por si só: perdi a criança. Passados três meses, eu estava grávida de novo, e dessa vez Samuel gostou. Gostou, não: adorou.

Adorou, e foi logo contar a novidade para Getulio. "Então vais ser pai, Profeta?", perguntou o presidente, chamando-o pelo apelido que inventara. Samuel, radiante, disse que queria que ele fosse o padrinho, o que infelizmente não aconteceu: Vargas se matou três meses antes do nascimento de nossa filha. Deborah, logo conhecida como Pinky, por ser tão cor-de-rosa, foi batizada numa linda manhã de sol, na igreja do Outeiro da Glória, por d. Helder Câmara, e a madrinha foi Alzira, filha de Getulio.

Samuel não queria casar; havia catorze processos correndo contra ele, entre os quais o de *dumping*, por ter baixado o preço da venda avulsa do jornal. (Ao mesmo tempo, também para ódio da concorrência, tinha inflacionado o salário dos jornalistas, que era reduzidíssimo.) Ele achava uma loucura um casamento naquela altura dos acontecimentos, mas meu pai exigiu um de verdade, no civil. Afinal, eu estava grávida e Samuel, sendo oficialmente viúvo (Bluma tinha morrido), podia casar.

Vamos adiante: marcamos a data, no maior sigilo, e casamos num cartório em Petrópolis. Presentes, apenas Nara, minha mãe, meu pai, Baby Bocayuva Cunha, sócio de Samuel na *Última Hora*, e um advogado, claro; sempre havia um por perto. Eu tinha vinte anos; era inverno, e usei um *kilt* — aquela saia escocesa com um alfinetão — e um suéter; depois do papel assinado, fomos comemorar numa casa de chá da cidade e em seguida voltamos para o Rio. Não tínhamos onde morar, por isso nos instalamos no Hotel Glória, sem lua-de-mel nem nada.

Na manhã seguinte, Samuel acordou, tomou café, foi para o jornal, e eu fiquei perdida, sem saber o que fazer. Peguei o carro e fui para a casa dos meus pais (essa rotina durou dois meses, até alugarmos nosso primeiro apartamento, na avenida Rui Barbosa). O assunto imediatamente apareceu no jornal do arquiinimigo de Samuel, Carlos Lacerda. A manchete da *Tribuna da Imprensa* dizia algo como: "Samuel Wainer vai ter um filho brasileiro para não poder ser expulso do país". Lacerda, que esbravejava diariamente no jornal e na TV pedindo sua expulsão, ficou louco de ódio quando soube do casamento e da futura paternidade. Pela lei, tendo um filho brasileiro, Samuel não poderia ser expulso do Brasil.

Para entender a história: a família Wainer emigrou da Bessarábia por volta de 1910; naquela época não havia passaportes, apenas um registro no livro de bordo dos navios. Vieram os pais, dona Dora e seu Jaime, com três ou quatro filhos — os outros nasceram aqui. Quarenta anos depois, no meio de uma luta política cruel, Lacerda, querendo por todos os meios fechar o jornal do ex-amigo de infância, descobriu um boletim de colégio em que Samuel, aos dez anos, se declarava brasileiro, e lançou a dúvida: teria ele nascido no Brasil ou chegara com um ou dois anos? Existia, e existe ainda, uma lei que proíbe a estrangeiros o direito de propriedade sobre publicações. Nesse caso, se Samuel tivesse desembarcado com um ano, além de não poder ser dono de jornal, teria cometido crime de falsidade ideológica ao se declarar brasileiro. Samuel nunca disse onde nasceu, nem em seu livro, por respeito aos que afirmaram que tinham assistido à sua circuncisão. Mas não havia nada a fazer: estávamos casados, e Pinky crescia na minha barriga.

No apartamento em que morávamos, ficamos meses vivendo praticamente no quarto, pois não havia dinheiro para móveis. Tínhamos uma cama, duas mesas-de-cabeceira e uma mesa de trabalho, onde Samuel escrevia. Ele era um jornalista extraordinário mas péssimo administrador, e sempre colocou os interesses do jornal acima dos pessoais. Apesar da falta de dinheiro, tinha a seu serviço um motorista do jornal e pelo menos dois seguranças. Era perigoso sair sem eles. No dia em que Pinky "anunciou" que ia nascer, Samuel estava escrevendo um artigo (eram cinco da manhã). Eu queria ir para o hospital, e ele dizia: "Espera um pouquinho, estou quase acabando". Felizmente o artigo foi concluído a tempo.

Meu pai, mais ligado na realidade da vida, conseguiu convencer Samuel a comprar um apartamento na planta, com grande facilidade de pagamento — e em meu nome. Nós nos mudamos cinco anos depois; quando nos separamos, o imóvel ficou para mim, e ele se viu de novo sem casa, exatamente como acontecera em seus casamentos anteriores. Nunca vi ninguém menos apegado a dinheiro ou à posse de qualquer bem do que Samuel. A não ser que o tal bem fosse o jornal, claro.

Eu, com vinte anos, não estava nem um pouco interessada em política: foi pela pessoa de Samuel que me apaixonei; mas esse encontro aconteceu na hora errada. Como seria bom ser casada com ele hoje, quando meus interesses mudaram e quero saber tudo o que se passa no país. Acho que, se nos encontrássemos agora, o casamento duraria para sempre. Mas nem sempre a vida é como deveria ser.

Um parêntesis para contar como era ter um filho nos anos 50. Eram oito dias de hospital, e aprendi com minhas amigas do *society* que devia levar oito jogos de lençóis de linho bordado, cada um combinando com uma *liseuse*, e usar um por dia; aliás, esses jogos tinham sido todo o meu enxoval de casamento. Depois que eu tomava banho, a enfermeira trocava os lençóis; eu me penteava, fazia uma maquiagem básica, e o neném só vinha na hora de mamar. As visitas eram muitas, e iam mais para bater papo e contar das festas, das roupas e das novidades. Quando o bebê chegava, elas diziam: "Que linda, que gracinha", e continuavam no quarto, conversando sem parar — e fumando. Um dia, durante uma dessas sessões, caí em pranto, sem saber por quê. Ainda não se falava em depressão pós-parto.

O Rio era uma cidade fantástica — alegre, animada —, e minha vida de casada, boa demais. Passados alguns anos, com Pinky e Samuca já grandinhos, e sendo eu uma adoradora do sol, às dez da manhã estávamos chegando na praia em frente ao Copacabana Palace. Depois de me lambuzar com os óleos da moda — cada uma queria ser a mais queimada do grupo —, atravessávamos a rua e, com Murilinho de Almeida, meu maior amigo na época e que mais tarde se tornou cantor da boate Sacha's, íamos para a piscina do Copa, onde as crianças tomavam aulas de natação com a campeã Maria Lenk. Murilinho era um gay assumido, o que era raro naquele tempo. Lembro de um amigo que tive, Maurício Bebiano — alto, bonito, forte, inteligente —, que ninguém sabia que era gay. Um dia houve um problema entre ele e um garoto de programa, e o caso acabou na delegacia. Dias depois, Maurício se matou; não por ter sido preso, mas porque os sócios do Country Club, que ele freqüentava, tinham ficado sabendo de suas preferências sexuais. Isso foi em 67-68, e não no começo do século passado.

Não esqueço as diversas fórmulas químicas que fazíamos em casa para "pegar cor": suco de beterraba e cenoura misturado com mercurocromo, iodo e Coca-Cola, isso quando não conseguíamos tubos altamente contrabandeados de Huile de Chaldée, francês, que, se não bronzeasse, pelo menos funcionava como uma belíssima maquiagem na praia. A vida era boa: ninguém fazia ginástica nem dieta, e nos limitávamos a ficar tostando ao sol até as três da tarde, como frango assado; fazíamos tudo o que hoje é proibido. Nós nos dávamos todas muito bem e usávamos os primeiros biquínis. Os biquínis haviam sido lançados na Europa, mas no Brasil só umas poucas moças, consideradas, como se dizia na época, "prafrentex", os usavam. Eu tinha uma amiga solteira que saía da casa dela de maiô e, antes de ir para a praia, passava na minha casa para botar o biquíni.

Samuel na praia era um acontecimento, pois não tinha a menor intimidade com o mar e a areia. Não sentava na toalha, dali a pouco estava parecendo um frango à milanesa; não sabia mergulhar, furar onda, nem pegar jacaré, mas com o tempo foi aprendendo. Apesar de seu habitat ser a redação, depois de casados passamos alguns bons fins de semana em Cabo Frio, na casa de Maurício Roberto e sua mulher, Maria. Maurício era um grande arquiteto, e seu escritório — MMM Roberto — projetou o aeroporto Santos Dumont e o prédio da ABI, a Associação Brasileira de Imprensa. E Maria foi uma das mulheres mais lindas do Rio.

Samuel começou a gostar do mar, mas no domingo à noite, quando voltávamos, ele mal conseguia esconder a pressa de ir para o jornal. Eu o deixava na *Última Hora* e ia para casa com as crianças. Aliás, antes que eu me esqueça: em 56, Maria e Maurício reuniram, em seu apartamento de Copacabana, um grupo para ouvir em primeira audição as músicas da peça escrita por Vinicius, *Orfeu da Conceição*, que foi levada no Theatro Municipal. Presentes Oscar Niemeyer, que fez os cenários, Vinicius, claro, e, no piano, Tom Jobim. Foi nessa noite que Vinicius e Lucinha Proença, então Lucinha Proença Vargas (nada a ver com Getulio), se viram pela primeira vez. Tempos depois estavam casados.

Lucinha pertencia a uma família rica e das mais tradicionais do Rio; morena, *mignon*, não usava decotes, era incapaz de dar uma gargalhada e, nos poucos lugares a que ia, era sempre a mais discreta. Casada com Jorge Vargas, morava num apartamento no Parque Guinle. Quando ela e Vinicius foram viver juntos, Oscar Niemeyer fez o projeto de uma casa pequena em Petrópolis, no alto do terreno onde era o casarão dos Proença (hoje é a prefeitura), e foi lá que o poeta, inspirado na paixão que teve por Lucinha, compôs suas mais lindas canções de amor.

Quando Samuel e eu nos casamos, a *Última Hora* continuava a apoiar Vargas, mas Samuel e Getulio, que chegaram a ser bons amigos, já pouco se viam. Com toda a imprensa contra a *UH*, a amizade deles acirrava os ânimos da oposição, e um dia chegou a hora da separação; de corpos, pelo menos. Samuel, que costumava freqüentar o Catete sem se fazer anunciar, se afastou; Getulio não o chamava mais, só se falavam através de sua filha Alzira; ela passou a ser a ligação entre os dois. Samuel deve ter sentido o baque, mas nunca demonstrou. Ele gostava muito do presidente, os dois foram importantes um para o outro, mas sabia que havia se tornado um aliado incômodo e tinha consciência de que isso faz parte do jogo político.

Na noite de 5 de agosto de 1954, já estávamos deitados quando o telefone tocou; era um repórter da *Última Hora*, contando que acabara de acontecer um atentado na rua Toneleros, onde haviam sido baleados um major da Aeronáutica e Carlos Lacerda. Samuel perguntou se Lacerda tinha morrido, e, diante da resposta, disse: "Merda", se vestiu e foi imediatamente para o jornal. Lacerda acusou Getulio de ser o mandante; com o apoio da Aeronáutica, criou a então chamada República do Galeão, na Ilha do Governador, que passou a funcionar como uma delegacia paralela. As investigações apuraram que o mandante do atentado fora o chefe da segurança de Vargas, Gregório Fortunato, que, ignorante e fiel a Getulio, achara que estaria lhe fazendo um bem ao eliminar Lacerda.

A situação política foi se agravando, e, até o suicídio de Getulio, mal vi Samuel; um contínuo do jornal passava em nossa casa a cada dois dias para pegar roupas e o que mais ele precisasse. Na manhã de 24 de agosto, dia da morte de Getulio, Samuel me telefonou; um telefonema emocionado e curto, em que me pedia que não saísse de casa. Apareceu à tarde, muito abalado; vestiu um terno escuro, foi para o Palácio do Catete e de lá embarcou no avião com o corpo de Vargas, para o sepultamento em São Borja, a convite de Alzira. Voltou arrasado; a amizade com Alzira perdurou e nunca foi quebrada.

Três meses depois do nascimento de Pinky, fiquei grávida de novo. Não foi uma gravidez calma. Em setembro de 55 — Samuca nasceu em dezembro — foi lançada a candidatura de Juscelino, contra a vontade de uma grande parte dos políticos da oposição. Oposição ainda a Getulio, que havia se matado um ano antes. Lacerda repetia, em relação a Juscelino, o que dissera sobre Vargas: que ele não podia ser candidato; que, se fosse candidato, não podia ser eleito; que, se fosse eleito, não podia tomar posse, e que, se tomasse posse, não podia governar. Vale lembrar que o Rio era uma cidade dividida entre lacerdistas e antilacerdistas, que não se misturavam, não se falavam, e não dividiam a mesma mesa.

Nunca vi Lacerda; mas estava uma noite com Samuel no bar do Bife de Ouro, no Copacabana Palace, quando Kika Aranha, filho do então ministro Oswaldo Aranha — que havia sido ferozmente atacado por Lacerda em seu jornal —, dirigiu-se à sua mesa, no restaurante, segurou-o pela gravata e lhe disse os maiores impropérios. Não assisti à cena, mas ouvi os gritos de longe. Lavei minha alma.

No dia em que a candidatura de JK foi oficializada, Samuel exultou; por volta de uma da manhã paramos o carro na porta do edifício do futuro presidente, na rua Sá Ferreira. Juscelino desceu, ele e Samuel se abraçaram na calçada e conversaram por uns bons trinta minutos. Em 55, a essa hora, era possível duas pessoas cujas fotos apareciam todos os dias nos jornais ficarem conversando na rua sem que ninguém visse. Conhecendo bem a política e sobretudo os políticos, Samuel sabia que, se subisse para compartilhar daquele momento de triunfo, a oposição a JK ia aumentar; preferiu poupá-lo, apoiando na sombra o seu nome, a dar munição aos que combatiam Juscelino. Não precisava mostrar a ninguém que eles estavam tão unidos; os dois sabiam, e isso bastava.

Certo dia, dois meses antes de Samuca nascer — Pinky ainda não tinha um ano —, Samuel me telefonou, meio estranho. "Onde você vai estar? Me telefona às duas horas"; liguei da rua, e a esquisitice continuou. "Me liga às cinco; vai para a casa dos seus pais e me espera." Lá pelas sete ele chegou, com um advogado, e contou que havia sido condenado a um ano de prisão, por falsidade ideológica. Ia se apresentar à

Justiça e queria que eu ficasse com meus pais por uns tempos. Eu disse que ele não se preocupasse e voltei para casa. Só me dei conta da situação quando ouvi, no rádio do carro, o *Repórter Esso* dar a notícia. Vi então que a coisa era séria, e que um ano ia custar a passar.

Um parêntesis: muitos anos depois, fui tirar um passaporte, e na época quem botava os dados no documento — nome, filiação, naturalidade etc. — era um funcionário da Polícia Federal, na hora da entrega. Resolvi apelar: "Não dá para tirar uns anos da minha data de nascimento?". Resposta: "Claro que não". Mas, tanto pedi, tanto insisti, tanto implorei, que convenci o funcionário. Saí de lá com um documento oficial que me dava dez anos a menos, e assim circulei pelo mundo por longo tempo; tanto, que até achei que era verdade. Mas um dia me dei conta de que poderia ser processada e condenada exatamente como Samuel, por crime de falsidade ideológica. Como ia cobrir a Copa do Mundo nos Estados Unidos pelo *Jornal do Brasil*, tive medo de que as autoridades americanas descobrissem; pedi outro passaporte, sob a alegação de que o primeiro havia sido roubado. Não me arrependo nem um pouco do que fiz: não estava prejudicando ninguém, e foi bem bom, durante um tempo, ter dez anos a menos.

Como jornalista, Samuel tinha direito a prisão especial, e já na manhã seguinte fui vê-lo. Ele estava num quartel de cavalaria, onde duas vezes por dia oficiais se exercitavam num picadeiro. Era um lugar até agradável, não ficamos nem um pouco deprimidos, e nossas visitas — eu, com um barrigão, carregando a Pinky, que nem andava ainda — eram diárias.

Eu inventava comidas, bolos e doces, e almoçava com Samuel — isso durante um mês. O primeiro habeas corpus foi negado, o segundo também, sendo que neste o voto de Minerva, em episódio inédito na Justiça brasileira, foi contra ele. (Num julgamento, quando dois juízes são contra e dois a favor, o voto do desempate é, por tradição, sempre favorável ao réu.)

Como Samuel tinha tido tuberculose, ele conseguiu ser transferido para um hospital da Polícia Militar, onde podia dispor de um quarto, uma pequena sala e banheiro. Felizmente, havia também um telefone. Decorei tudo com quadros e fotos, levei um som, e passávamos os dias conversando como se estivéssemos de férias. Samuel muito mais preocupado do que eu, claro, mas, como sempre, sem demonstrar. Um dia houve o contragolpe do general Lott, ministro da Guerra: depois do suicídio de Getulio, seu vice, Café Filho, assumiu a Presidência. Juscelino já fora eleito democraticamente, mas Lacerda comandava uma conspiração para que ele não tomasse posse. Café Filho adoeceu e pediu licença de saúde — uma história meio mal contada. Era o golpe contra Juscelino que ia se consumar, mas Lott, legalista em extremo, convocou os tanques e com isso garantiu o resultado das urnas. Foi mais uma derrota para Lacerda.

Víamos freqüentemente Juscelino e fomos com ele várias vezes a Brasília; ele se orgulhava de mostrar a capital que surgia. JK, sempre sorridente, era um homem adorável que tirava os sapatos debaixo da mesa e ficava de meias. Era de uma total simpatia, todo mundo gostava dele. Menos a turma do Lacerda, claro.

Estávamos no hospital quando tocou o telefone. "Samuel, os tanques desceram", disseram — naquele tempo os tanques desciam. Ele perguntou: "Os nossos ou os deles?". Eram os nossos.

O crime pelo qual Samuel fora condenado já tinha data para ser julgado pelo Supremo Tribunal Federal: na semana seguinte. É claro que o contragolpe do general Lott nos deu esperanças quanto ao resultado, já que o processo era essencialmente político.

O julgamento, sem a presença do réu, que estava preso havia quarenta dias, teve início ao meio-dia, e as notícias chegavam por telefone. Eram dez juízes; o primeiro voto, do relator, foi favorável, o segundo também, e, quando chegou o sexto voto, começamos a comemorar: Samuel foi absolvido por unanimidade. Choramos muito; fizemos as malas e ficamos esperando pelo alvará de soltura.

Já era noite quando chegamos em casa. A *Última Hora* inteira estava lá; lembro bem do Peçanha, contínuo do jornal, desdentado e bêbado, comemorando a decisão da Justiça abraçado ao presidente da ABI, Herbert Moses. Na manhã seguinte, às onze horas, Samuel foi trabalhar, como se nada tivesse acontecido. Durante sua prisão, foi publicada na revista *Time* uma foto dele, divina, com a legenda "*Sam in a golden cage*"; achei o máximo. Meses depois, com a expansão do jornal por outros estados do Brasil, mais uma foto na mesma revista. Título da matéria: "*What makes Sammy run*?".

Samuca nasceu em pleno verão, um mês depois de Samuel sair da cadeia e dez dias depois de Pinky completar um ano. Nem eu era apegada à religião católica nem Samuel à judaica, mas mesmo assim combinamos que os filhos seriam batizados e os meninos, circuncidados, o que foi feito. E ainda, de quebra, eles fizeram a primeira comunhão. Um pequeno detalhe: antes de casar, eu não tinha a menor idéia de que Samuel fosse judeu; na minha casa nunca se falou se fulano era judeu ou deixava de ser, simplesmente nunca se tocou nesse assunto.

Talvez pelo trauma por que eu passara, o nascimento de Samuca foi complicado. Meu leite, que era muito, secou, e o menino não aceitava outro leite senão o humano. Ele emagreceu muito e, com um mês, teve de tomar soro; com um mês e meio, fez transfusão de sangue. Era de cortar o coração, um bebê que mal mexia a cabeça passando por tudo aquilo. As camionetes da *Última Hora* faziam a ronda das maternidades em busca de leite e traziam, em horas diferentes, alguns gramas: uma trazia vinte, outra trinta, outra quarenta. Às vezes o que coletavam não era suficiente para suprir as necessidades de um dia, e eu completava com água a alimentação de Samuca. Lá pelos quatro meses ele se adaptou a um leite americano, Carnation, e só Deus sabe o alívio que sentimos ao vê-lo se aprumando, engordando, crescendo. Tinham sido quatro meses de angústia permanente.

Foi um casamento feliz, repito. Samuel, além de muito inteligente, era daqueles homens que se dão bem em qualquer roda. Fossem sambistas, jornalistas internacionais, grandes políticos, dondocas, cientistas, a turma do cinema novo, a da bossa nova, com todos ele tinha assunto. Com alma de repórter, se interessava por tudo o que acontecia e que muitas vezes virava notícia em seu jornal. Enfim, eu apresentei Samuel à vida glamourosa e sofisticada, e ele me apresentou ao poder.

Com vestido de Guilherme
Guimarães, em 1966,
numa reportagem de moda.

Ao lado, a mãe e o pai na juventude;
abaixo, o casamento dos pais, em 1932.

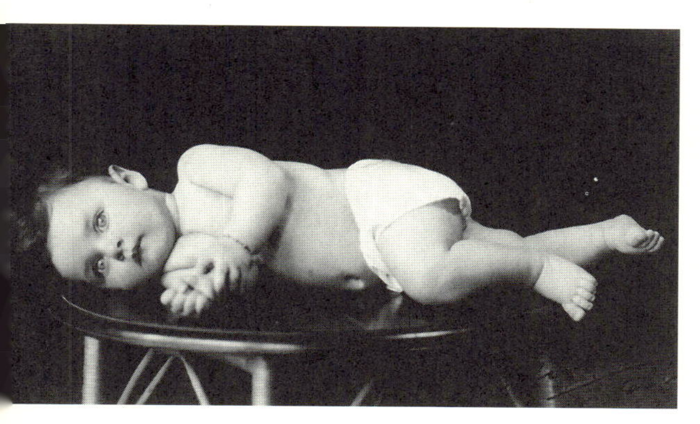

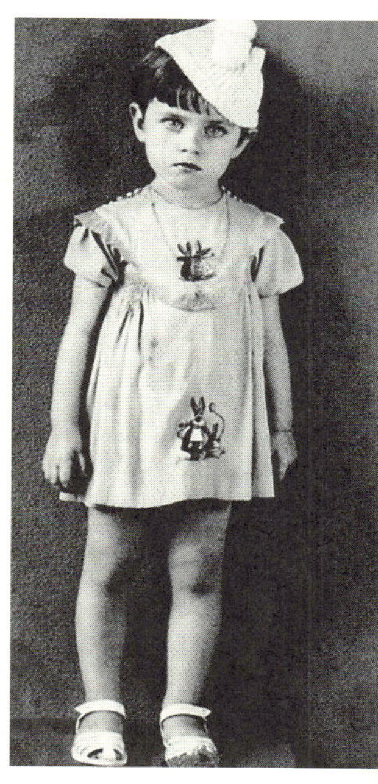

Nesta página, quando ainda tinha medo da máquina fotográfica.

Na primeira comunhão. Abaixo e à direita: em 1948, em matéria para a revista *Rio* e na festa de debutantes da revista *Sombra*.

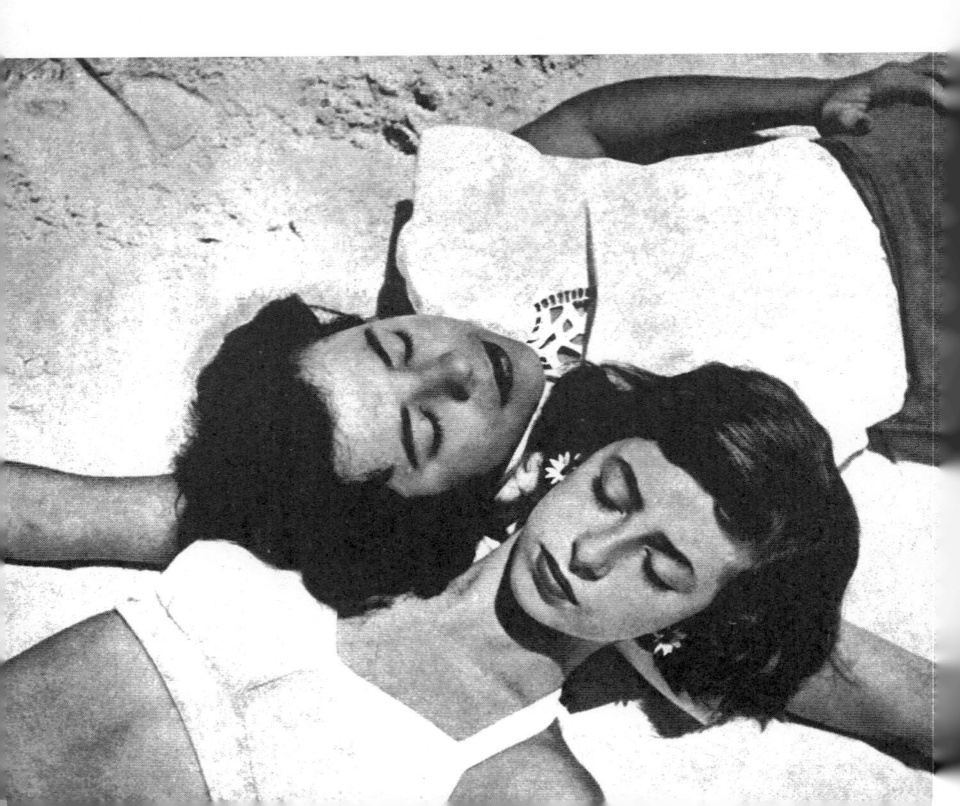

À esquerda, numa parada de passeio de barco, no começo da década de 70; ao lado, com o pai e, abaixo, aos 17 anos.

Em desfile de moda na boate Vogue, 1953.

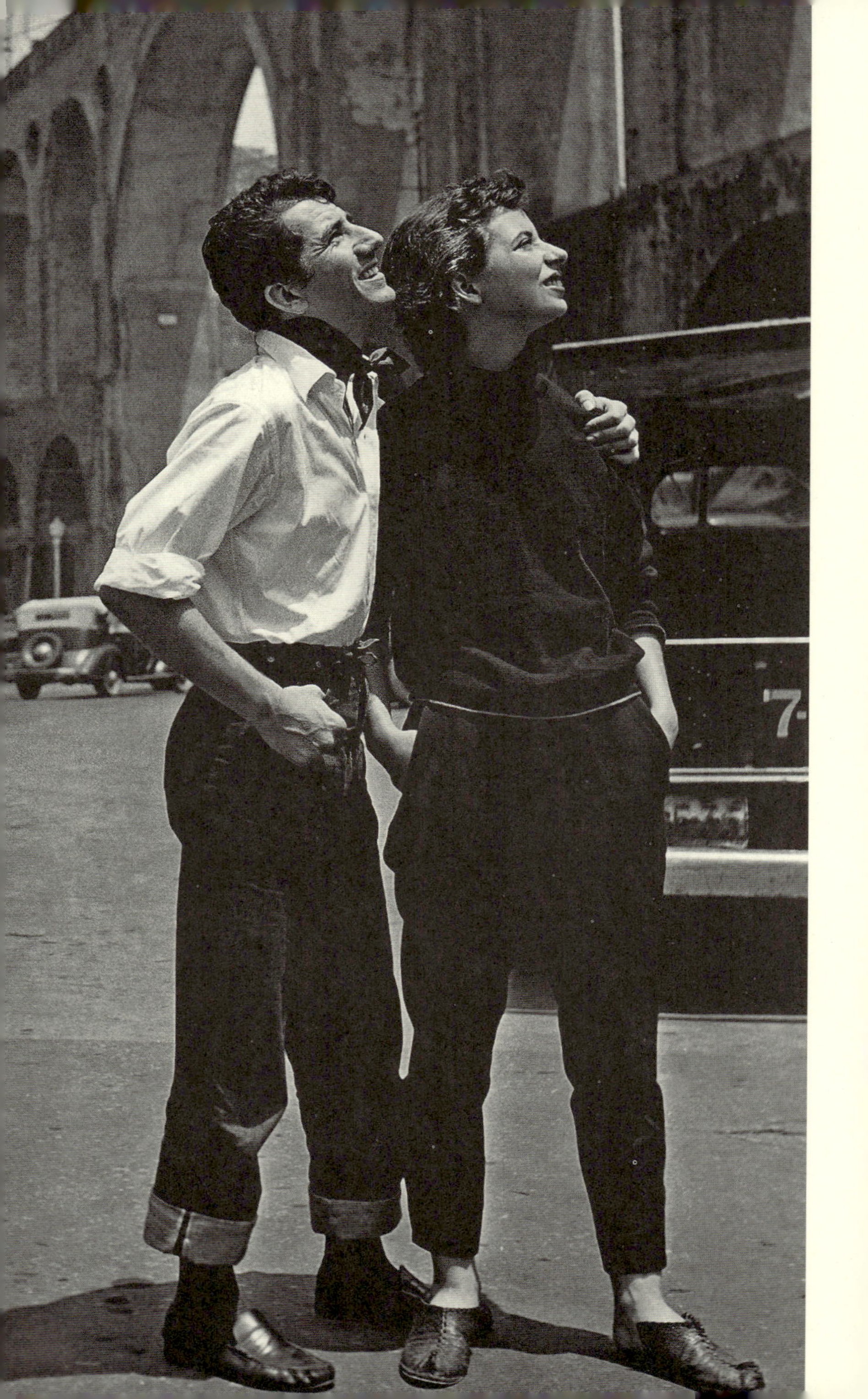

Na página ao lado, aos 18 anos, com Daniel Gélin nos Arcos da Lapa. Aqui, em Paris, com Di Cavalcanti, autor do desenho abaixo.

À esquerda, com Ilde Garavaglia
e Jorginho Guinle, em 57, e
abaixo, com Ilde e Nara, em 58.
Nesta página, com Nara.

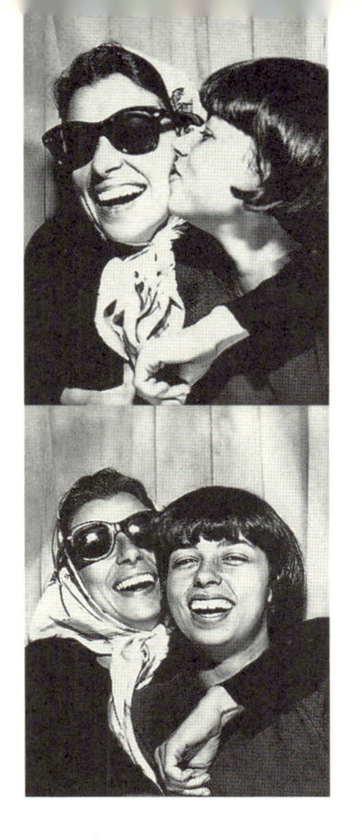

ltimaHora

Com Samuel e a recém-nascida Pinky,
e durante a gravidez.

"O Rio era uma cidade fantástica —
alegre, animada —, e minha vida de casada,
boa demais. Passados alguns anos, com
Pinky e Samuca já grandinhos, e sendo
eu uma adoradora do sol, às dez da manhã
estávamos chegando na praia em frente
ao Copacabana Palace."

Em cima, com a condessa Pereira Carneiro,
na inauguração de Brasília; acima e ao
lado, durante a construção da nova capital.

À esquerda, acima, Antônio Maria e sua filha, Maria Rita; abaixo, Danuza com o então amigo Maria. Nesta página, com Renato Machado, em Salvador, em 72, e em Capri, em 85.

Visita das crianças à *Última Hora*,
em meados dos anos 60.

4

No início do casamento eu pretendi fazer um clima de romance em casa, como nos filmes. Arrumava a mesa de jantar com candelabros e tudo, queria saber a que horas Samuel ia voltar, reclamava do atraso. Ele sempre chegava tarde, mas telefonava dezenas de vezes dizendo: "Estou chegando"; quando chegava, elogiava, achava tudo lindo, e depois saíamos para encontrar alguém em algum lugar. Como a cada dia ele chegava mais tarde, mudamos a rotina. "Vai indo para o restaurante que te encontro lá", dizia ele. Eu ia com algum amigo, Samuel aproveitava e chegava mais tarde ainda, sempre de bom humor e cheio de novidades; levantava dez vezes durante o jantar para telefonar para o jornal, saber qual seria a manchete, modificar alguma matéria. Anos depois, quando fui trabalhar no *Jornal do Brasil*, entendi o que era o fechamento de uma edição, e até hoje não sei como Samuel agüentou uma mulher que queria pontualidade de um editor de jornal.

Durante o dia eu vivia a vida das crianças, e à noite saíamos; nas raras vezes que ficávamos em casa, Samuel recebia algum político importante para conversar. Eu não saía do quarto e, como essas conversas costumavam ser longas, quando ele ia deitar, eu já estava dormindo.

Íamos a todos os shows de Carlos Machado no Night and Day, que eram um acontecimento na cidade, e cansei de ver Jango Goulart, que seria vice de JK, sozinho, numa mesa lá no fundo, esperando a saída das vedetes. Sua namorada na época era uma linda morena cujo nome de guerra era Joãozinho Boa-Pinta por ter os cabelos curtinhos, "*à la* Joãozinho", como se dizia.

Naquele tempo muitos casais se traíam, mas Samuel e eu estávamos fora dessa; apaixonados demais para achar graça em qualquer outra pessoa. Alguns tinham casos tão estabelecidos que não passaria pela cabeça de ninguém que fosse oferecer uma recepção, por exemplo, convidar um sem convidar o outro — não o cônjuge, mas o caso; isso seria praticamente uma gafe (nas boates, eles dançavam de rosto colado, e tudo bem). Como não existiam motéis e nos hotéis tradicionais só entravam casais casados mesmo — se o porteiro desconfiasse que não eram casados, pedia os documentos —, os homens tinham *garçonnières*, geralmente em sociedade com um ou dois amigos. Quase sempre no centro, por ser mais próximo ao local onde trabalhavam. A maioria das moças era virgem, e as liberadas, digamos assim, apontadas com o dedo, e todo mundo sabia. Os costumes morais da época eram bem rígidos, como se vê.

Nossa parada final e obrigatória era no Vogue, a boate da moda, dirigida pelo barão Max von Stuckart, austríaco que veio para o Rio depois da guerra, abriu o Vogue e lançou a moda do picadinho, do strogonoff e do frango à Kiev, uma espécie de filé de frango enrolado como se fosse um croquete grande, com muita manteiga derretida como recheio. Quem não conhecesse o prato se arriscava, ao usar a faca, a que a gordura respingasse por todo lado. O Vogue era o ponto de encontro de políticos, empresários, socialites; situado no andar térreo de um hotel na avenida Princesa Isabel, lá se apresentavam cantoras e cantores internacionais; as *crooners* permanentes eram Linda Batista e Aracy de Almeida. O repertório de Linda era basicamente Lupicínio Rodrigues ("Só vingança, vingança, vingança aos santos clamar") e o de Aracy, Noel: "Último desejo", "Três apitos" e várias outras músicas que só ela conhecia. Era o máximo. Do outro lado da rua, numa boate chamada Tasca, Tom Jobim trabalhava para sustentar a família. Na volta para casa, dávamos uma passadinha no jornal para pegar dois exemplares recém-saídos da rotativa, quentinhos. Samuel ficava na oficina espichando a conversa até alta madrugada, porque, se fôssemos embora cedo, a *Última Hora* ainda não estaria impressa.

Um domingo de manhã telefonaram do jornal para dizer que o edifício do Vogue estava pegando fogo, e Samuel quis ir até lá. Quando chegamos, já havia uma multidão olhando o incêndio. A escada era forrada de madeira, o que ajudou o fogo a subir, e os hóspedes correram para os últimos andares. Como a escada dos bombeiros era curta, no fim da tarde algumas pessoas, não suportando as chamas, se atiraram pela janela. Vários amigos nossos morreram carbonizados.

João Ribeiro Dantas, conhecido boêmio da noite do Rio e, diziam, ligado ao Serviço Nacional de Informações, o SNI, estava deitado lendo jornal quando começou a sentir um estranho calor; foi até a janela e, ao perceber o que estava acontecendo, fez uma teresa com os lençóis, molhou na banheira cheia de água, para apertar bem os nós, e amarrou na varanda. Vestiu-se na maior elegância, botou uma pérola na gravata e um revólver na cintura. Por que o revólver? Porque, se alguém tentasse se segurar na teresa, levava um tiro. Ele desceu até alcançar a escada dos bombeiros; quando chegou na calçada, virou à esquerda, entrou no bar do hotel Plaza e bebeu sozinho um litro de Johnnie Walker. Ninguém teve coragem de se aproximar dele para perguntar o que estava sentindo — sorte que ainda não havia a televisão. Dantinhas foi o único amigo que se salvou. Glorinha e Waldemar Schiller, recém-casados, foram encontrados mortos na banheira. Nessa época, Sacha, que tinha sido pianista do Vogue, já havia aberto o Sacha's, a boate da moda.

Com uma memória prodigiosa, Sacha tocava a música predileta de cada um dos freqüentadores da boate assim que chegavam — o que era um charme. E tinha ainda Murilinho de Almeida, aquele meu superamigo que ia tomar sol na piscina do Copa comigo e com as crianças. Amigo de todo mundo, inteligente e divertido, ele virou cantor por acaso, e era especialista em músicas de Cole Porter — inseria nas letras os nomes das pessoas que estavam na boate, e elas adoravam. Antes de trabalhar no Sacha's, Murilinho não fazia nada. Teve uma paixão louca (e um caso, que todo mundo sabia) por Mariel Mariscot, quando este era salva-vidas em frente ao Copacabana Palace. Para refrescar a memória, Mariel, que protagonizou com a atriz Darlene Glória um romance famoso, foi uma das mais preeminentes figuras do Esquadrão da Morte; já preso, virou um dos chefões do jogo do bicho, e morreu metralhado numa rua do centro do Rio. Como no Sacha's o uso de gravata era obrigatório, quando às vezes Samuel estava de camisa esporte, entrávamos pela porta que dava direto na cozinha, e lá mesmo jantávamos, no meio dos garçons e cozinheiros (e comíamos ainda melhor).

O Rio estava na moda. Tudo — países, drinques, comidas, gente, comportamento — entra e sai de moda, e existem as pessoas que fazem a moda e as que a seguem. A partir do momento em que começa a sair nos jornais e revistas que o lugar *x* é freqüentado por certas pessoas, aquelas que fazem parte do segundo grupo mudam seu roteiro de férias. Quando esse lugar se populariza, as que pertencem ao primeiro grupo mudam de pouso, e as outras ficam procurando saber para onde elas foram, para ir atrás. Nesse tempo a bola da vez era o Brasil, e no Carnaval vinham estrangeiros do mundo inteiro para participar dos bailes do Municipal e do Copacabana.

Quase todos que passavam pelo Brasil procuravam Samuel: do futurólogo Herman Kahn a Sartre, Simone de Beauvoir, Henry Kissinger, fotógrafos, jornalistas, políticos, editores de moda, atrizes e atores de cinema, delegações da Cortina de Ferro, ex- e futuros presidentes. "Vai para o Brasil? Liga para

Samuel Wainer", era a senha. Um dia me telefonou Annabelle, que eu conhecera na minha temporada em Paris — na época, depois de ter tentado, sem sucesso, carreira de cantora, ela não fazia nada, mas sempre aparecia nos lugares e, como não tinha dinheiro, pegava uma batatinha do prato de um, um pedacinho de queijo do de outro, e assim ia levando. Um dia, a grande novidade: ela havia se casado com Bernard Buffet, pintor que despontava como um brilhante talento das artes. Os parisienses, que não perdem ocasião de fazer uma maldade, diziam quando viam o casal: "Lá vem o Picasso, com a sua *pique assiette*" (jogo de palavras que denomina os que vivem "picando" uma coisinha do prato dos outros). Samuel e eu os ciceroneamos, e a coisa de que eles mais gostaram foi da ida ao Maracanã para ver um jogo noturno.

Um dia apareceu no Rio Kim Novak, trazida por Jorginho Guinle. Jorginho era *o* playboy da cidade; de família muito rica, sobrinho do dono do Copacabana Palace, dr. Otávio Guinle, não trabalhou nem um só dia da vida e torrou, sozinho, uma fortuna de aproximadamente vinte milhões de dólares. Ele media um metro e sessenta e três, e passava seu tempo viajando entre Nova York e Los Angeles; costumava trazer as estrelas de Hollywood para conhecer o Carnaval — trazia e namorava. No Rio e na cama de Jorginho estiveram Rita Hayworth, Lana Turner, Hedy Lamarr, Ava Gardner, Jayne Mansfield, entre muitas e muitas outras, e a própria Kim Novak.

A atriz estava no auge do sucesso. Tinha acabado de estrelar o filme *Picnic*, com William Holden, e era considerada uma das mulheres mais lindas do mundo — os fotógrafos não a deixavam em paz. Como ela queria ver o Carnaval de rua, armamos um plano. Jorginho levou-a para nossa casa, ela vestiu uma calça e uma camisa de Samuel, botou um lenço na cabeça, um chapéu de palha em cima, e pintou o rosto com carvão. Nós também nos vestimos quase como mendigos e fomos curtir os blocos de sujos na avenida Rio Branco. Ninguém podia imaginar que debaixo daqueles andrajos se escondesse Kim Novak. Ela era muito boazinha mas burrinha. Um dia me viu com uma calça dourada de Saint Laurent, se encantou, me pediu emprestada e nunca devolveu. Burrinha mas esperta.

Depois de Juscelino ter tomado posse, a situação do jornal foi melhorando, e éramos convidados para todos os jantares de gala no Itamaraty, com direito a cisnes nadando no lago, para reis, príncipes e chefes de Estado. Lembro particularmente de um desses jantares, oferecido ao príncipe Bernhard, marido da rainha Juliana da Holanda. Depois do jantar iríamos, eu e Samuel, para a boate Sacha's, e, ignorando o protocolo — que eu, aliás, desconhecia —, perguntei ao príncipe se não queria ir conosco. Para espanto geral, ele disse que sim, e fomos, nós três, no nosso carro. Só que o Sacha's estava lotado, e o jeito foi colocar uma mesa de pista, que, como bem diz o nome, era na pista de dança; ficamos conversando até alta madrugada, eu de vestido de baile, o príncipe e Samuel de casaca.

Íamos também a rodas de samba no morro e a estréias de cantores internacionais no Copacabana Palace — e depois do show éramos invariavelmente convidados para um drinque no apartamento do Anexo onde se hospedavam os artistas. Numa noite em que Sammy Davis se apresentou, só fomos dormir com o dia já claro. Estávamos em todos os acontecimentos; viajávamos muito a Brasília, para acompanhar a construção da cidade, cuja inauguração nunca vou esquecer.

Chegamos de manhã, e eu quis ir logo para o hotel, para mandar passar a roupa do baile. Fomos levados para o que seria o quarto, onde havia alguns operários subindo os tijolos das paredes. Mas o quarto, onde era o quarto? Era ali mesmo, e eu não precisava me preocupar que à tarde estaria pronto, disseram. Samuel, que faria a reportagem da inauguração para a *Última Hora*, saiu para trabalhar, e eu fui junto. Tenho fotos maravilhosas dele com Oscar Niemeyer, no meio das avenidas de terra vermelha, indagando sobre tudo, colhendo notícias, que era o que ele mais gostava de fazer.

No fim da tarde, quando voltamos ao hotel, o quarto estava pronto, mas mal dava para respirar, por causa do cheiro de tinta fresca; enquanto eu me vestia, Samuel, com a máquina de escrever nos joelhos, redigia o início da matéria. Usei um sári azul, comprado em Nova Délhi na volta de uma viagem à China, e nos pés uma sandália dourada sem salto, para escândalo das elegantes. Os homens tinham de vestir casaca, e Samuel estava elegantíssimo, só que de mocassins. Estivesse de terno, smoking ou casaca, ele só usava mocassins, contrariando qualquer manual de estilo. Ele podia.

Minha vida era bem boa, coisas aconteciam o tempo todo, às vezes boas e às vezes ruins, e de monotonia não se morria. Samuel tinha um excelente temperamento, não discutia comigo, não me obrigava a nada, concordava com tudo o que eu dissesse ou quisesse, gostava de todos os meus amigos, nunca dizia não. Agindo assim, ele tinha paz para poder dedicar quase todo o seu tempo ao jornal.

Todo dia 31 de dezembro almoçávamos no apartamento de meus pais, na avenida Atlântica, e a partir das quatro da tarde víamos, da janela, chegarem à praia grupos de homens e mulheres vestidos de branco, elas com roupa de baiana. Faziam rodas, enfeitavam a praia com flores, acendiam velas, cantavam e dançavam pontos de macumba. Isso ia até depois da meia-noite, e ninguém se aventurava a descer para ver de perto o que estava se passando. Foi assim que começou o mais famoso réveillon do mundo, o da praia de Copacabana.

No Carnaval, íamos ver as escolas de samba, primeiro na avenida Antônio Carlos, depois na Presidente Vargas. Era preciso chegar cedo para arranjar lugar nas (toscas) arquibancadas. Os desfiles terminavam às dez, onze horas da manhã seguinte; não havia banheiros, e não se comia; às vezes passava um vendedor de mate ou picolé, e só. Como conseguíamos, não sei. No quesito escolas de samba, a cena mais linda que vi foi em 70. Paulinho da Viola havia lançado "Foi um rio que passou em minha vida", um sucesso absoluto, dedicado à Portela. Essa foi a última escola a desfilar, com Paulinho na comissão de frente. Pois no final do desfile o povo invadiu a avenida e saiu atrás da Portela, deixou pra lá o samba-enredo e cantou o samba de Paulinho.

Além da vida noturna, intensa, nossa distração era jogar pôquer aos sábados. A roda, mais ou menos variável, era: nós dois, meu pai, Millôr Fernandes, Ivan Lessa, Leon Eliachar, Antônio Maria, Paulo Francis, todos excelentes jogadores, modéstia à parte. Baralhos novos a cada sábado, fichas de madrepérola, começávamos às seis da tarde e não levantávamos para jantar: serviam-se comidinhas durante o jogo. Samuel, embora bebesse pouco, estava sempre com um copo de uísque na mão. O grupo de jovens jornalistas já era famoso, mas veio a ficar muito mais, e imagine o que eram as noitadas com esse escrete de inteligências.

O jogo não chegava a ser tão barato que pudesse ser considerado uma brincadeira, nem tão caro que pudesse abalar as finanças de um dos parceiros. Para dar uma certa ordem às coisas — ou estaríamos jogando até hoje —, ficou estabelecido que a rodada de fogo começaria às duas da manhã. Na primeira, abertura com dois pares; na segunda, com dois pares sendo um figurado, e, na terceira, com uma trinca. Às vezes íamos até sete da manhã, saíamos exaustos e alegres, rindo das tiradas durante o jogo.

Nada como um jogo de pôquer para conhecer as pessoas, mas não naquela roda. Millôr, por exemplo, era capaz de, com um par de seis, pedir uma carta e apostar até que alguém pagasse para ver o que ele tinha; algumas rodadas depois fazia tudo ao contrário. Quase todos os parceiros jogavam assim. Foram noites memoráveis; alternavam-se momentos de suspense, de nervosismo, às vezes de alta tensão, quando dois parceiros tinham um jogo alto e as apostas cresciam, e de muito riso, um curtindo com a cara do outro, quando conseguia blefar. Havia também um jogador bissexto, Oswaldo Rocha, que um dia deixou de aparecer. Sua filha Nelita, muito jovem, tinha fugido — sim, fugido, como nos romances antigos — com Vinicius e deixado uma carta (como nos romances antigos). Esse foi um grande escândalo nas rodas cariocas. Era a quinta ou sexta vez que Vinicius casava; no total foram nove.

Às vezes recebíamos para coquetéis, nos quais misturávamos generais (fardados) com ministros e jogadores de futebol, como Didi, a quem Nelson Rodrigues chamava de "o príncipe etíope"; o compositor Ataulfo Alves com Tereza e Didu Souza Campos, o casal mais elegante do Rio. (Todo fim de ano havia a lista dos dez homens e mulheres mais elegantes do país, e todo ano o nome dos dois estava lá, por isso eram chamados de casal 20. Quem fazia a lista era o cronista social Jacinto de Thormes; seu nome verdadeiro, Manuel Bernardes Müller. Muito educado, simpático e queridíssimo, Maneco era considerado quase um nobre, desde que o duque de Windsor, numa viagem pelo Brasil, se apaixonara por sua mãe.)

Eu tinha acabado de completar vinte e seis anos quando Samuel foi convidado para ir à China participar dos festejos do décimo aniversário da Revolução — da "Liberação", como eles diziam. O convite não era extensivo a mim, mas fiquei tão louca para ir que Samuel deu um jeito para que me convidassem também. Lá, fui apresentada — modo de dizer — a Mao Tsé-Tung, Nikita Kruchev e Dolores Ibárruri, a Passionária. Apesar de jovem, já estava tão acostumada a conhecer pessoas importantes que achei tudo normal. Para mim, presidentes, fossem do Brasil ou da União Soviética, eram mais ou menos a mesma coisa. Na hora de tirar a foto com Mao, dei logo um jeito de ficar a seu lado, e, quando fomos convidados para sentar por alguns minutos com ele, fiquei apavorada e perguntei: "Samuel, o que é que eu digo?". Samuel foi rápido: "Elogie suas poesias". Foi o que fiz, e Mao deu um grande sorriso de satisfação.

Passamos um mês fantástico; fomos a Cantão, Xangai e Nanquim, e infelizmente não pudemos aceitar o convite do governo para atravessar a China de barco, pois isso nos tomaria mais um mês. Samuel não seria capaz de ficar tanto tempo longe da *Última Hora*. Apesar de encorajada por ele, não tive peito de encarar sozinha a aventura, e disso me arrependo até hoje. Deixamos a China de trem, eu aos prantos, maoísta para sempre. Mas, quando chegamos no *drugstore* do hotel em Hong Kong e vi um vidro de xampu Aquamarine, quase enlouqueci de felicidade. Meus cabelos eram longos, e durante trinta dias haviam sido lavados com o único sabão — *sabão*, não sabonete — que existia no país. O regime capitalista tinha, sem dúvida, seu charme.

Consegui convencer Samuel a voltar passando pelo Japão, Tailândia e Índia; mas claro que não podia conceber a idéia de sobrevoar a Europa e não ir a Paris. Para ele estava fora de questão; que eu fosse, se quisesse. Não esperei que Samuel falasse pela segunda vez; nos despedimos em Zurique, e embarquei para a França. Fiquei no mesmo Hotel Montaigne. Passei sozinha todo o mês de novembro, um mês maravilhoso de férias de casamento; meu marido estava tomando conta dos nossos dois filhos muito bem.

Em Paris, não passou pela minha cabeça rever Daniel, nem por um segundo sequer, nem por curiosidade. Ele fazia parte do meu passado, e para mim, quando as coisas acabam, acabam mesmo. Até lembro delas, como estou lembrando agora, mas essas voltas nunca dão certo no plano da realidade.

Quando cheguei ao Rio, o apartamento que havíamos comprado na planta ainda não estava pronto, e vivemos uma temporada no Copacabana Palace, com Juscelino ainda presidente. Nós nos mudamos em fevereiro de 60, eu já grávida de Bruno.

Sempre fui muito feliz quando esperava um filho, e essa nova gravidez não me deixou pensar no que já desconfiava: que o casamento não era mais um mar de rosas. Estávamos sempre cercados de gente, Samuel não me asfixiava nem era homem de discutir a relação — não havia tempo nem fazia sua linha —, e nos dávamos bastante bem; quem não se dava bem com ele? Mas eu comecei a me sentir só.

Em abril, grávida, fomos a Nova York, e uma amiga, a cantora martinicana Josephine Premice, nos apresentou a pessoas famosas que nunca imaginamos que iríamos conhecer. Lembro de um domingo em que ela nos levou para tomar o *breakfast* na casa do escritor James Baldwin, que morava no Village, numa *town house*; descemos direto para o *basement* (uma espécie de subsolo), onde era a cozinha, com os jornais do dia, café, *muffins* e flores. Baldwin tinha acabado de lançar seu livro *Giovanni*, e a primeira coisa que fez foi nos oferecer um uísque, que aceitamos logo, para entrar no clima. Ele foi tão simpático quanto possível, mas era uma personalidade atormentada, e para isso não lhe faltavam razões: era negro e gay, no começo da década de 60. A sorte é que falava francês, um francês carregado de sotaque mas que dava para entender. Saímos de lá com as pernas meio bambas, de tanto que bebemos.

Víamos bastante Miles Davis — meu Deus, como ele era elegante! Nunca me esqueci de como estava vestido no dia em que o vi pela primeira vez: calça preta, paletó espinha-de-peixe, camisa vermelha e gravata preta; os sapatos eram pretos, daqueles de furinhos, da Church's. Nós nos encontrávamos na casa de Josephine para um drinque e depois jantávamos em algum restaurante, geralmente o 21; ele não falava muito, e ria das extravagâncias e barbaridades que nossa amiga dizia. Tínhamos um amigo comum, o cineasta Louis Malle; um ou dois anos antes, Miles havia composto para Loulou a excepcional música do filme *Ascenseur pour l'échafaud*. Tentei lembrar do deslumbramento que fora seu concerto no Théâtre des Champs-Élysées, dois anos antes, mas ele mudava de assunto. Não sei se ficava encabulado ou se só compartilhava o tópico música com os iniciados; ou talvez achasse que não tínhamos o direito de invadir seu território sagrado. Sei que me sinto privilegiada, até hoje, de ter chegado perto de Miles Davis, que continua sendo para mim a melhor coisa que existe no panorama musical de ontem, hoje e amanhã.

Meses antes dessa viagem, eu entrava na piscina do Copacabana Palace, quando vi uma grande mesa de chiquérrimas almoçando, entre elas Elisinha Moreira Salles e Jô Bastian Pinto. Elisinha, que figurava todos os anos na lista das mulheres mais elegantes do mundo, era casada com o então embaixador do Brasil em Washington, Walter Moreira Salles, e Jô com o famoso advogado Jaime Bastian Pinto. Só para lembrar: Walter foi nomeado embaixador com um empurrãozinho de Samuel: quando Getulio era presidente, havia outro candidato ao posto, mas não foi difícil para Samuel convencê-lo de que o nome de Moreira Salles era o melhor. O almoço era oferecido a Diana Vreeland, a poderosíssima editora da *Harper's Bazaar*.

Como conhecia quase todas as convivas, dei um adeusinho, e pouco depois uma delas me chamou. Diana era uma mulher feia, mas com uma personalidade fantástica. Pediu que me apresentassem a ela, ao me ver de longe vestida de Pucci. Então me deu um cartão com seu telefone e insistiu para que eu não deixasse de ligar quando fosse a Nova York. Nessa viagem com Samuel, liguei, e ela logo me convidou para ir à sua casa tomar um chá. Só tomamos vodca.

Diana foi a maior personalidade do mundo *fashion* de todos os tempos, e ficou conhecida como "a papisa" da moda, pois o que dizia era lei. Além de ter sido editora das duas mais importantes publicações da época — a outra era a *Vogue* —, lançou criadores, fotógrafos, manequins, e foi dela a idéia audaciosa e ousada de levar exposições de moda para o Museu Metropolitan, em Nova York, elevando a *haute couture* à condição de arte. Tive a sorte de visitar duas, a da moda russa e a de Saint Laurent, verdadeiros deslumbramentos. Lembro bem da de Saint Laurent, numa galeria em penumbra; no ar um suave aroma de perfume francês. O silêncio era tão grande que ninguém se arriscava a falar, e o som — que mal se ouvia, de tão discreto —, sucessos de Piaf. No apartamento de Diana na Park Avenue, todas as paredes eram forradas de tecido vermelho, e tudo, absolutamente tudo — móveis, sofás, quadros —, era vermelho. Ela se mostrou interessadíssima pela minha viagem à China — até então pouquíssimas pessoas tinham entrado naquele país, e, se não estou enganada, nenhum americano. Perguntou-me então se eu posaria para Richard Avedon, para uma edição especial da *Bazaar*. Avedon, que morreu em 2004, foi o maior fotógrafo de moda que o mundo já teve, e estava no auge; imagine se eu não ia querer. Claro que sim, respondi. Havia apenas um probleminha: Dick só fotografava — ou não — depois de conhecer a mulher que seria — ou não — fotografada. Eu toparia passar pelo teste? Ora, sem dúvida. Marcamos um almoço para o dia seguinte. Nós dois nos encontramos e imediatamente simpatizamos um com o outro.

A sessão foi agendada para dali a dois dias, no estúdio dele. Cheguei à uma da tarde, e a primeira coisa que Avedon me ofereceu foi um uísque. Bebemos o primeiro, o segundo (*eu* bebi, *ele*, não posso afirmar), aí ele me perguntou que tipo de música eu gostava de ouvir, e passei a tarde dançando pelo estúdio, com ele fotografando. Era a maneira de Dick descontrair quem posava para ele. Foram feitas mais de mil fotos, e a pauta falava de *non conforming people*. Como companheiros de edição havia escritores, jornalistas, Elizabeth Taylor e Jane Fonda, em fotos pequenas, e eu em três páginas inteiras! Foram, evidentemente, as fotos mais lindas que tirei na vida; sinto muito orgulho delas — e, para ser sincera, vaidade.

Enquanto eu tinha meus filhos, viajava e acompanhava a vida de Samuel e do jornal, Nara ia crescendo e começava a ser uma figura importante nas rodas musicais do Rio. Não sei se exagero, mas acho que a bossa nova levaria bem mais tempo para se firmar se não fosse a liberalidade de meus pais, que haviam se mudado para um grande apartamento na avenida

Atlântica e eram os únicos a abrir a casa para uma garotada que se reunia todas as noites e varava as madrugadas tocando violão e cantando. Nessas reuniões não rolava nenhuma espécie de bebida, e madrugada alta iam todos para a cozinha fazer um macarrão. Muitas vezes, quando meu pai saía para trabalhar, eles ainda estavam lá, tocando e cantando. Minha mãe me contou que um dia acordou e tinha um piano na sala. Como o piano subiu, ninguém sabe, ninguém viu.

Para mim, eles não passavam de um bando de crianças. Tom, João Gilberto e Menescal eram apenas os amigos de minha irmãzinha mais nova, aquela tímida que quase não falava e que iria se tornar um monumento da música brasileira. Aliás, soube naquela época que João Gilberto implicava quando ouvia passarinhos cantando: passarinhos, segundo ele, são muito desafinados. Só mais tarde, com o inevitável distanciamento que o tempo proporciona, percebi que algo de muito importante na área musical aconteceu debaixo do meu nariz.

Bruno nasceu em outubro de 60, com a campanha presidencial — Jânio Quadros x general Henrique Teixeira Lott — pegando fogo. Jânio era uma incógnita, e o general Lott, com toda a sua postura democrática, um candidato pesado, difícil de carregar. Mas a *Última Hora* o apoiou. Não se sabia o que poderia acontecer se Jânio ganhasse a eleição, e ninguém poderia adivinhar o que aconteceu: oito meses depois de ter tomado posse, ele renunciou.

Samuel continuou telefonando muito do jornal, mas sua ausência física em casa era cada vez maior. E eu tinha apenas vinte e sete anos.

5

Retomamos nossa rotina de sair todas as noites. Samuel chegava cada vez mais tarde, e, para que eu não ficasse sozinha em casa esperando por ele, nossos encontros, antes em restaurantes, passaram a acontecer diretamente nas boates, no Sacha's ou no Black Horse. No Black, onde só se dançava o chachachá, havia uma turma de bonitões estrangeiros que arrasava sob o comando do playboy Bob Zaguri — aquele que veio a namorar Brigitte Bardot. Às quatro, quatro e meia da madrugada, desapareciam todos. É que a essa hora começavam a chegar da Europa os aviões trazendo a muamba, e era dela que eles viviam. A muamba não tinha nada a ver com drogas: eram roupas, sapatos, bolsas, uma vez que artigos importados não entravam legalmente no Brasil. Nessa época, já estava incorporado à nossa turma o cronista e compositor Antônio Maria, que escrevia na *Última Hora*.

Antônio Maria tinha uma personalidade exuberante, era extremamente inteligente, sensível, divertido, e sua presença, garantia de uma noite ótima. Era o último a sair das boates, e, quando as portas se fechavam, ainda ficava na calçada, com uma roda de amigos, tomando cerveja no gargalo. Jamais vi alguém com tanta capacidade de beber, comer e atravessar as noites sem dormir; ele era uma força da natureza. Ficamos amigos assim que nos conhecemos.

Maria era pernambucano e pertencia a uma família de usineiros que havia sido muito rica. Saiu bem jovem de Recife e passou uns tempos em Fortaleza e outros em Salvador, onde foi locutor esportivo, até dar o pulo para morar no Rio, objetivo de todos os que sonhavam com a cidade grande. Ao chegar, dividiu um pequeno apartamento com Fernando Lobo, pai de Edu, e Chacrinha. No início as coisas foram difíceis, mas logo ele estava trabalhando no rádio — a televisão da época —, onde narrava jogos de futebol e escrevia *sketches* para programas humorísticos. Rapidamente passou a participar das rodas boêmias, e fez sucesso quando começou a colaborar em jornais: teve uma coluna intitulada "Mesa de Pista", onde contava sobre a noite fervilhante da cidade, e outra, o "Jornal de Antônio Maria", que trazia suas crônicas. Nesta, mostrava seu outro lado: apaixonado e às vezes quase trágico, destoante do homem alegre e extrovertido que aparentava ser. Maria também compunha letras de música, que quase sempre falavam de dor-de-cotovelo e solidão. Em "Ninguém me ama", diz: "Vim pela noite tão longa de fracasso em fracasso, e hoje, descrente de tudo, me resta o cansaço, cansaço da vida, cansaço de mim, velhice chegando, e eu chegando ao fim"; em "Menino grande", sonha com uma mulher que lhe dissesse: "Dorme, menino grande, que eu estou perto de ti; sonha o que bem quiseres que eu não sairei daqui". Era um lírico, e fantasiava um amor verdadeiro e definitivo.

Antônio Maria também sabia ouvir: qualquer problema meu, fosse minha insatisfação com a babá dos meus filhos, fosse uma rusga com meu pai, ele tinha todo o tempo do mundo não só para escutar como para discutir, sugerir, às vezes aconselhar. Era exatamente o que eu não tinha de Samuel, era exatamente do que eu precisava — e Antônio Maria sacou.

Samuel não tinha ciúme de mim, até porque eu não dava motivos e Maria não ostentava propriamente o físico de um galã: mulato de pele clara, era gordo, muito gordo, e de bonito não tinha nada. No início, quem me fazia companhia nas boates enquanto Samuel não chegava do jornal era Murilinho; depois que esse amigo começou a cantar no Sacha's, Antônio Maria tomou seu lugar. E era com ele, que tinha todo o tempo do mundo para mim, que eu conversava, fosse de madrugada, à tarde, à noite, ou de manhã.

Fui me acostumando à sua presença, e sentia muita falta quando ele sumia, enrolado com seus vários casos. Era casado com Mariinha, da aristocracia pernambucana, e tinha dois filhos, mas praticamente vivia num apartamento do hotel Plaza, em Copacabana, onde trabalhava e passava a maioria das noites. Maria não era o tipo de homem que dançava ou fazia charme e não tinha as características de um *homme du monde*, que eu tanto apreciava. Sua inteligência era diferente da de Samuel, e ele estava firmemente decidido a fazer com que eu me apaixonasse por ele. Um dia isso aconteceu.

Não fazia parte dos meus planos ter um caso com Antônio Maria e continuar casada com Samuel, até porque nunca foi da minha natureza ter dois homens ao mesmo tempo. (Um já dá trabalho, imagine dois.) Por mim, ficaria tudo como estava: eu casada e com uma pessoa por perto que me dava tudo o que Samuel não podia me dar — por temperamento, estilo de vida, e sobretudo porque sua prioridade máxima era o jornal. Mas um dia, quando percebi que a primeiríssima prioridade de Antônio Maria era eu, gostei. Tinha esquecido do que se quer aos vinte e sete anos: se quer romance, se quer ser amada, se quer um homem que faça canções de amor e escreva cartas apaixonadas, que diga que vai morrer se passar um só dia sem ver você, que vai até a praia em que você está e fica uma hora sentado dentro do carro só para te ver de longe. Eu não me apaixonei logo por Antônio Maria: ele fez com que eu me apaixonasse aos poucos.

Maria não correspondia a nenhuma das minhas fantasias em relação aos homens, nem em termos de elegância, nem de conhecimento do mundo, nem de sofisticação, nem de nada. Nas raras vezes em que ia à praia, usava um tamanco de português e uma sacola de feira, o que acabou por virar um estilo — as pessoas achavam graça. E seus sapatos eram sempre sapatos de padre, de padre de antigamente, daquele modelo que tinha vários botõezinhos de um lado só. Ele foi me fazendo ver, mansamente, que a maioria das coisas em que eu acreditava eram bobagens, que a vida pode e deve ser mais simples, que, para ser feliz, basta amar e ser amado, que as frescuras que eu tanto apreciava não tinham um sentido maior do que aquilo que eram: frescuras. Chegou a me convencer a demitir a governanta que cuidava das crianças, só porque era dinamarquesa, e no lugar dela contratar uma babá nordestina carinhosa que na hora de dormir contava histórias e cantava canções de ninar — como se uma dinamarquesa não pudesse ser carinhosa, contar histórias e cantar canções de ninar.

Samuel não estava preparado para ouvir falar em separação, pois tinha exatamente a vida que queria: o jornal, três filhos que ele adorava, e uma mulher bonita de quem gostava e que ia com ele às cerimônias oficiais e ao desfile das escolas de samba, sempre alegre e disposta a acompanhá-lo em qualquer aventura. Ele era um marido especial, mas nunca passou por sua cabeça que, aos vinte e sete, vinte e oito anos, as mulheres podem ter outros anseios — nem tinha tempo para pensar nisso.

Não contei de uma vez só a Samuel o que estava acontecendo. Não tive coragem — e também não foi preciso. Lá no fundo ele talvez já soubesse, só que não queria saber. Então pediu — exigiu — que eu fizesse uma viagem com Pinky e Samuca, que tinham sete e seis anos. Achou que eu poderia mudar de idéia se retornasse àquele mundo que estava abandonando e de que tanto gostava. Bruno, que era muito pequeno, ficou. Fui com as crianças para Veneza, e o natural teria sido terminar a viagem em Paris, onde eu tinha meus amigos. Antônio Maria, no entanto, me proibira de pisar na cidade onde eu tinha vivido e que poderia me trazer recordações do passado. Na hora não percebi a gravidade dessa proibição; achei tão maravilhoso um homem ter ciúme de mim que nem liguei. De Veneza fomos para Portugal, e lá passamos um mês. Quando voltamos, insisti na separação, e Samuel disse que não criaria nenhuma dificuldade; pediu apenas que eu esperasse o aniversário da *Última Hora*, que seria dali a seis meses. Morrendo de culpa, concordei. Foram seis longos meses: de um lado, Antônio Maria me pressionando; do outro, Samuel sofrendo.

Foi aí que eu e Nara nos aproximamos de verdade pela primeira vez. Apesar de estar com dezessete, dezoito anos, ela me ouvia, me compreendia, e era a única pessoa com quem eu podia falar, a única em quem confiava.

Naquele tempo os casais não se separavam tanto como agora, muito menos com filhos pequenos. Para complicar as coisas, a *Última Hora* já era um império — além da *UH* do Rio, havia a de São Paulo, a de Porto Alegre, a de Recife e a de Belo Horizonte. Eu estava deixando um homem poderoso, amigo pessoal do presidente — na época Jango, que havia assumido depois da renúncia de Jânio, de quem era vice —, por alguém que tinha uma coluna em seu jornal, uma razão a mais para meus amigos acharem que eu estava louca.

Foi um escândalo. O mundo caiu em cima de mim, e meu pai, tão liberal, rompeu relações comigo de maneira violenta. Até um padre — padre Dutra —, que trabalhava no jornal, foi me visitar para discorrer sobre a importância dos laços matrimoniais. Quanto mais falavam, menos eu queria ouvir; não porque tivesse certeza do que estava fazendo, mas porque, com cada um me puxando para um lado, eu não tinha condições de pensar no que devia fazer. Venceu Antônio Maria, com o argumento simples — sem que isso precisasse ser explicitado — de que não poderia viver sem mim. E existe algum mais forte?

Uma noite Maria e Samuel se encontraram num bar para falar; do que falaram eu nunca soube, mas, quando a conversa terminou, Antônio Maria estava desempregado, claro.

Sei, hoje, que meu casamento com Samuel não seria eterno e que a separação aconteceria um dia, fatalmente. Mas, se eu pudesse voltar no tempo, ela não teria sido naquele momento, nem daquela maneira: seria no momento em que eu decidisse por minha única e exclusiva vontade, sem nenhuma espécie de pressão. É meio tarde para pensar nisso, mas até hoje não sei o que é mais difícil: deixar um homem ou ser deixada por ele.

Os seis meses se passaram, e houve um grande coquetel no Museu de Arte Moderna para comemorar os onze anos da *Última Hora*. Eu e o presidente da ABI, Herbert Moses, cortamos o bolo; a festa foi um sucesso, e na noite seguinte Samuel embarcou para a Europa. Era junho de 61, estávamos separados oficialmente, mas ainda não desquitados. Depois de um mês Samuel voltou e passou a visitar as crianças duas vezes por dia; uma tarde chegou às minhas mãos o documento do desquite, e nele constava uma cláusula segundo a qual, se algum dia eu fosse morar com um homem, perderia a guarda dos meus filhos.

Naquele tempo, mesmo sem essa cláusula, qualquer homem podia tirar da ex-mulher os filhos que tinha com ela se ela passasse a viver em concubinato, mas Samuel fez questão de deixar isso bem claro. Como eu não pretendia morar com Antônio Maria, assinei sem problemas. O apartamento onde morava estava em meu nome e, como eu não queria nada para mim, só que Samuel pagasse as despesas das crianças, nem contratei advogado, os dele cuidaram de tudo. Meu pai não voltara a falar comigo, e não tive ninguém que me orientasse; cheguei ao fórum sozinha, de táxi, para assinar o desquite.

Samuel alugou uma casa em Copacabana, de propriedade de Didu Souza Campos. Como adorava jogar pingue-pongue, armou uma mesa onde se disputavam grandes torneios. Pinky me contou que um dos maiores parceiros do pai foi Gilbert Bécaud, e que Brigitte Bardot e Bob Zaguri eram assíduos naquela espécie de *open house*.

Começou uma nova etapa da minha vida. Eu passava os dias em casa, e Antônio Maria vinha me pegar para jantar depois que as crianças dormiam. Samuel, que quando casado ficava até tarde no jornal, conseguiu achar tempo para ir toda noite ver os filhos na hora do jantar, e só ia embora depois que eles fossem dormir. Ainda se demorava um pouco, para falar sobre algum problema de escola, e, como isso atrasava minha saída com Maria, a noite já começava meio mal.

Foram quase quatro anos de paixão intensa. Se fui feliz? E o que tem isso a ver com a paixão? A paixão faz sofrer, é sombria, trágica, exclui totalmente a felicidade, não é feita para durar e não costuma acabar bem, o que eu não sabia na época; meu pai, sim, sabia, e sabia também que não adiantava me dizer o que previa: que não ia durar. Nessas horas, não adianta ninguém dizer nada, pois os apaixonados são cegos e surdos, e assim sempre serão.

Durante esses anos em que vivemos juntos, abrimos mão dos amigos, dos desejos, do passado — do qual nenhum de nós podia falar; abrimos mão da vida. Ele deixou de beber e de ser quem era; conseqüentemente, eu também. Por mais apaixonadas que sejam, duas pessoas que conversam somente *entre* elas — e *sobre* elas —, bem, uma hora fica difícil. Minha rotina era sair toda noite, jantar fora e voltar de madrugada. Sempre os dois, só os dois; mas eu dispunha do dia inteiro só para mim. Às vezes queria muito ficar em casa à noite, para nada, apenas para me sentir sozinha, sabendo que meus filhos estavam ali perto dormindo, mas nunca tive coragem nem de falar disso. Comecei a ficar meio estranha, e, embora conversasse com Nara, ela era uma garota, não podia me ajudar muito.

Nossa vida era simples: não víamos ninguém, não íamos a um cinema, não tomávamos conhecimento do que se passava no mundo, e me lembro de um dia em que vimos, na televisão, Cauby Peixoto cantando um bolero que era sucesso na época, "Ninguém é de ninguém". Antônio Maria teve um acesso de fúria: "Como assim, ninguém é de ninguém?". Certa ocasião, houve uma festa de São João no colégio das crianças, e, quando voltei, contei um episódio banal: que Bruno estava no meu colo quando Samuel o pegou — uma bobagem dessas. Ele ficou transtornado; como eu pudera ficar tão próxima fisicamente de Samuel?

Nessa noite fomos a um restaurante, e Antônio Maria teve fortes dores no peito. Todos os médicos foram consultados, todos os exames feitos, menos o mais elementar: um eletrocardiograma. Diagnosticou-se um problema de coluna. Durante cerca de cinco meses ele teve muita dor, e a rotina de vir me buscar e trazer de volta toda noite se tornou penosa; mas ele continuou cumprindo. Um dia as dores foram tão intensas que Maria se internou na Casa de Saúde Dr. Eiras; foi examinado por uma sumidade em neurocirurgia que, depois de fazê-lo passar de novo por todos os exames — menos o eletrocardiograma —, me chamou e disse que não tinha encontrado nada, devia ser um problema psicológico.

Maria voltou para casa quase sem forças para andar; procurou outros médicos e foi parar no consultório de um pneumologista que atendia numa clínica; mais tarde o médico me contou que, quando olhou para ele, viu logo que se tratava de um cardíaco. O médico fez um eletro imediatamente, e diante do resultado o internou ali mesmo, num quarto da clínica, onde ele ficou um mês na cama. O infarto havia sido muito extenso, e sua vida precisava mudar. Quando Antônio Maria soube, me disse, em meio às suas dores, que tivera o infarto porque, naquele dia da festa de São João, eu tinha passado Bruno do meu colo para o de Samuel, o que para ele era uma intimidade intolerável.

Isso aconteceu num final de novembro. As crianças iam entrar de férias, e, como iam passá-las com Samuel, levei Antônio Maria para minha casa; alugamos uma cama de hospital, já que ele deveria permanecer deitado. Maria deixou de fumar — eram três maços por dia — e passou a comer coisas leves e sem sal.

Nós gostávamos de comer, e vivíamos experimentando os pratos mais pesados e gordurosos. De uma hora para outra tudo mudou, e a alimentação passou a ser frango e legumes cozidos. Eu desempenhava o papel de enfermeira; ficava o dia inteiro levantando e abaixando a cabeceira e os pés da cama, fazia a barba dele, dava banho e, por solidariedade, seguia a mesma dieta. Emagreci dez quilos em dois meses.

Quando chegou o Natal, constatei que a vida ia ficar muito difícil com as limitações que a doença havia trazido a Maria, e resolvi enfrentar Samuel. Disse que, quando acabassem as férias, eu ia morar com Antônio Maria na casa dele, as crianças também iam, e que ninguém ia tirá-las de mim. Para meu grande espanto, Samuel não criou caso, e em março de 64 nos instalamos na casa de Maria, no Jardim Botânico.

Eu estava inteiramente por fora do que acontecia na área política; quase não lia jornal e, como não via ninguém, não tinha quem me contasse a respeito dos fatos. Além de tudo, a doença de Maria me ocupava o tempo todo. Ele já tinha retomado o trabalho, e escrevia em casa, como sempre.

Quando morávamos em casas separadas, eu tinha um tempo que era todo meu; podia ficar parada olhando para o teto sem ninguém me perguntar no que estava pensando, podia conversar com Nara horas a fio, podia folhear uma revista; agora essas liberdades haviam acabado, e comecei a me sentir sufocada.

As vinte e quatro horas do meu dia eram controladas; eu não podia dizer que gostava de uma música porque ela provavelmente fazia parte de um passado do qual eu não tinha o direito de me lembrar; não podia levar as crianças à praia, já que Maria fora proibido de tomar sol. Não podia nada. Poucos dias depois de estar vivendo com ele, passei a me sentir péssima, e não entendia por quê. Afinal, havia brigado com o mundo, deixado um marido, me arriscado a perder a guarda dos meus filhos, amava e era amada, e conseguira o que parecia impossível: morarmos todos juntos. Então, que agonia era aquela? Quem podia me explicar? Só fui entender muito mais tarde: chega uma hora em que é preciso fazer uma escolha entre a paixão e a vida, e minha escolha já estava feita, só que eu ainda não sabia.

Meu pai e eu estávamos reconciliados; Antônio Maria lhe havia escrito duas ou três cartas que amoleceram seu coração. Mas não dava para procurá-lo e contar como eu estava me sentindo; me arriscava a ouvir um "eu sabia que isso ia acontecer". A situação foi ficando cada vez pior.

Uma semana depois de estarmos morando juntos, o clima estava tão ruim que Antônio Maria saiu de casa. Fiquei muito triste, procurei por ele e implorei para que voltasse. Ele voltou — relutante, mas voltou. Nessa mesma noite estávamos no quarto assistindo ao noticiário quando levantei para ir ao banheiro. Passei pela frente da TV em trajes íntimos, à vontade, e ele fez uma cena, como se eu estivesse me exibindo para o locutor do programa. De outra vez, estávamos abraçados, em pé, na sala, onde havia um espelho. Não dava para Antônio Maria se ver nesse espelho, mas ele viu a mim, de costas, abraçando um homem. A visão foi tão insuportável que ele me empurrou para longe. Eu estava abraçando um homem, e não importava se esse homem era ele. Comecei a sentir medo.

As coisas só pioraram. Era um silêncio pesado o dia inteiro, e à noite eu fechava os olhos e fingia estar dormindo, para não ter que falar. Falar o quê? Que estava me sentindo presa numa gaiola e não queria viver daquele jeito? Na época, quem fazia análise era malvisto — coisa de maluco, quem fazia não contava —, mas achei que era a única solução para eu tentar me entender. Quando toquei no assunto, Antônio Maria disse que não havia hipótese, ele não permitiria. Mesmo assim, arranjei um analista através de Nara, que já fazia análise, e minhas sessões — cinco por semana — eram às sete da manhã; as crianças ficavam me esperando no carro com a babá, e depois eu as levava para o colégio.

Meu tema, em todas as sessões, era um só: e se eu largasse Antônio Maria e ele morresse? Afinal, ele tinha tido um infarto, precisava de cuidados permanentes, como eu podia pensar em deixá-lo? O analista, dr. Gerson Borsoi, repetia muitas vezes a cada sessão que Antônio Maria era gordo, vinha de uma família de hipertensos, passara a vida fumando, comendo e bebendo mais que o razoável, daí ter tido o infarto, e que, se morresse, seria por todas essas razões, não por mim. E ainda dava o exemplo: eu tinha deixado Samuel, e ele continuava vivo.

No dia 31 de março houve o golpe; eu assistia a tudo na televisão e lia nos jornais que estavam incendiando os carros de reportagem da *Última Hora*, que apoiava o governo de Jango. Eu adorava o jornal; era uma publicação pela qual eu tinha muito amor, como se fosse coisa minha. Não sabia exatamente o que estava acontecendo; depois de sete anos casada com Samuel, era claro que os fatos estavam contra ele, mas a isso eu já estava acostumada. O que nunca poderia imaginar era que a situação fosse tão grave e que Samuel, como tantos outros, teria que deixar o país, exilado. Quando me mostrei triste com aquilo tudo, foi mais uma cena, e fiquei pior ainda. Cada vez pior.

No dia 2 de abril Samuel me telefonou; com a voz embargada, disse que estava asilado na embaixada do Chile, país para onde viajaria assim que obtivesse um salvo-conduto — o que levou um mês para acontecer. Sua ausência poderia ser longa, e ele precisava falar comigo sobre as crianças. Quando desliguei, Antônio Maria estava atrás de mim, me olhando como se eu tivesse cometido traição; disse que aquilo era desculpa de Samuel, que o que ele queria era me ver, que eu não podia ir encontrá-lo. Mas fui, e várias vezes, sempre às escondidas.

Samuel precisava falar comigo, mas na verdade não tinha o que me dizer, pois ele mesmo não tinha noção do que seria da sua vida. Estava arrasado, derrotado, havia perdido seu país, seu jornal e seus filhos; quanto tempo aquilo iria durar, ninguém podia dizer. Naquele momento ele só sabia que ia para o Chile, mais nada. Eu fiz a única coisa que podia: disse que os filhos eram dele, que podia levá-los para onde fosse. Afinal, não era justo que Samuel ficasse sem eles só porque minha vida tinha tomado outro rumo.

Cheguei em casa e contei minha decisão: ia dizer a Samuel que as crianças eram dele. Na verdade, já tinha dito, mas não podia confessar que estivera na embaixada. Aí houve uma discussão séria, e nós, que não brigávamos nunca, brigamos feio; em voz baixa e sem ofensas, o que é pior. Antônio Maria disse que, se as crianças partissem, eu fatalmente iria querer encontrá-las num aniversário ou num Natal, e que isso ele não toleraria. Nesse momento senti que não havia mais solução; nenhuma mesmo. Era uma escolha entre a paixão e a vida. E eu pensei como a vida é curiosa; as razões que levam uma mulher a se apaixonar por um homem são as mesmas que a levam a um dia abandoná-lo.

Ele também deve ter percebido que era o fim; saiu, e foi a última vez que o vi. Depois de passar horas sem saber o que ia acontecer, se ele ia voltar ou não, arrumei minhas coisas, enrolei as crianças nuns cobertores, e às onze da noite chegamos na casa dos meus pais, que estavam dormindo. Fomos recebidos carinhosamente, e não me fizeram nenhuma pergunta — nem precisava.

Passei dois meses lá, sem idéia do que ia fazer. Durante esse tempo, não saí nem um só dia; era como se não tivesse o direito de ser livre, de viver, mas aos poucos recomecei a respirar e ver que havia vida além da paixão. Tive a sorte de, na época, Nara ter um namorado que ia sempre vê-la à noite. Para que eu não ficasse sozinha, eles namoravam na casa dos meus pais, e às vezes o namorado levava uns amigos — um deles era Janio de Freitas, com seu ar de poeta e conspirador. Assim eu não me sentia confinada: eles me alegravam, eu via que a vida podia ser boa, e isso me ajudou a não cair em depressão.

Não dava para ficar no Rio, pois eu não podia me arriscar a encontrar Antônio Maria. Se isso acontecesse, como ia ser? Samuel, provavelmente percebendo que minha vida estava difícil, escrevia de Paris — do Chile, havia ido para lá —, me chamando para encontrá-lo; agia como um bom amigo, não demonstrava nenhuma mágoa por eu tê-lo deixado. Mas eu não me sentia à vontade para ir, já que não pretendia voltar para ele. Meu pai disse que, depois da briga que tivera comigo, nunca mais daria palpite sobre minha vida. Eu tinha de resolver sozinha.

Uma madrugada, duas semanas depois de eu ter ido para a casa dos meus pais, Antônio Maria me telefonou; tinha bebido muito, e me disse coisas ruins e injustas. Ouvi tudo, calada, até ele desligar. Não senti raiva; sempre soube que isso faz parte, sobretudo depois de um caso tempestuoso. Passados alguns dias, recebi uma carta muito triste em que ele dizia, entre outras coisas, que havia se esquecido do meu rosto e que já comprara o seu sono para o dia do meu aniversário. Foi quando li essa frase que decidi ir para Paris.

Samuel era muito inteligente: em nenhum momento insinuou que, para ele, o fato de eu ir para a França encontrá-lo significava que reataríamos, e isso me deixou à vontade para tomar minha decisão. Ele contou que estava morando num hotelzinho em frente à Notre Dame, o La Bûcherie, e que o apartamento de uma amiga ia ficar vago por dois meses — e se ele o alugasse para mim e as crianças? Samuca viajou primeiro, sozinho; depois fomos eu, Pinky, Bruno e uma babá portuguesa, Fátima. As passagens foram gentilmente oferecidas pelo diretor da Air France, Joseph Halfin, amigo de Samuel. Embarcamos no maior segredo, um dia antes de eu completar trinta e um anos. Essa data eu não queria passar no Brasil: tinha sido num aniversário meu que conhecera Antônio Maria.

6

Desembarcamos, eu, Pinky e Bruno, em julho de 64, em pleno verão europeu. Fazia muitos anos que eu não me sentia tão bem. Houve o reencontro com a cidade que eu adorava, e houve sobretudo o reencontro comigo mesma. Eu não estava presa a nada, podia fazer tudo o que quisesse e era dona absoluta do meu nariz, vivendo praticamente uma segunda adolescência. Aluguei meu apartamento do Rio para um funcionário da embaixada inglesa por duzentas e dez libras por mês — cerca de quinhentos dólares. Naquele tempo, antes da crise do petróleo, quinhentos dólares era um bom dinheiro; não muito, mas o suficiente para poder levar uma vida bem boa. No câmbio da época, equivalia a três mil francos; um almoço num restaurante normal custava vinte francos, e, como ainda não existia a igualdade dos sexos, os jantares eram sempre pagos pelos cavalheiros.

Samuel foi perfeito: estava perto de mim para o que eu precisasse, mas nunca impunha sua presença. Foi tão perfeito que, quando cheguei, já tinha uma namorada, Mimi de Ouro Preto, filha do embaixador em Paris, Carlos de Ouro Preto, e casada com um nobre, o marquês Guy d'Arcangues. Casamento bem francês, cada um vivendo sua vida, livre e abertamente, mas morando juntos.

Mimi era um personagem da vida parisiense; além de muito bonita, tinha uma personalidade exuberante, bem diferente da personalidade das francesas; foi manequim de Chanel numa época em que marquesas não costumavam desfilar. Boêmia, vivia na noite, e ficou famoso o episódio em que, voltando de uma noitada no Regine's, ela mergulhou com o carro no Sena; só se salvou por ser excelente nadadora. Samuel me esperava com um presente: um carrinho lindo, um míni Morris, que custou mil dólares, exatamente igual ao de Mimi, inclusive na cor, vermelha (e eu desconfio que o de Mimi foi ele quem deu). Era — em termos, claro — um "Dona Flor e suas duas mulheres".

Abriu-se uma nova vida para mim. Podia sair na hora que quisesse, ir para onde quisesse, voltar na hora que quisesse, essas coisas tão banais mas tão importantes. Minha liberdade era total; procurei tirar da cabeça os últimos anos que tinha vivido e me preparei para outra etapa. Não sabia o que me esperava, mas, fosse o que fosse, estava firmemente decidida: a partir daquele momento, a única dona de minha vida seria eu. Isso foi em 1964, estamos em 2005, e mantive minha decisão.

Mas essas determinações têm um preço: houve — e ainda há — longos momentos de solidão, sem ninguém com quem dividir dores e alegrias; houve dias em que eu olhava para o telefone esperando que ele tocasse, para não me sentir tão só. Mas cada um é de um jeito, o meu é esse, e não me arrependo. Afinal, a escolha foi minha.

Samuel pagava o aluguel do apartamento, duzentos dólares, e eu vivia do aluguel que recebia do Rio. Esse dinheiro me mantinha, mas eu precisava preencher minha vida. Mais uma vez sabia que precisava trabalhar, e mais uma vez me perguntava em quê. Como não havia pressa, aliás, pressa nenhuma, me deixei levar pelo encantamento de estar em Paris com meus filhos. Afinal, tinha o direito de me dar um tempo. E me dei.

O apartamento em que nos instalamos era estranhíssimo; ficava no *16ème arrondissement*, um bairro bem burguês, perto do Trocadéro, e o primeiro mês foi só de passeios; eu mostrava às crianças a cidade onde elas iriam morar por algum tempo — quanto, ninguém tinha idéia. Pinky estava com dez anos, Samuca com nove, Bruno com quatro, e nenhum deles falava uma só palavra de francês. O apartamento fora alugado por dois meses, e era preciso pensar para onde iríamos quando a proprietária voltasse das férias. Com a ajuda de Violeta Arraes, irmã de Miguel Arraes, casada com o francês Pierre Gervaiseau, funcionário da administração pública e de repente dentro daquele vendaval, alugamos outro, bem perto dali. Violeta e Pierre moravam em Paris havia anos, e foram nossos anjos da guarda; nossos e de todos os exilados que lá aportavam, aos montes. Foi Violeta quem nos ajudou na procura do apartamento e no assunto colégio, pois o ano letivo começaria em setembro.

No primeiro dia de aula, lá foram os três para um colégio público; entravam às oito e saíam às quatro, já com os deveres feitos. Só o almoço era cobrado: por todo o resto, inclusive livros e cadernos — que permaneciam no colégio —, não se pagava absolutamente nada. Já existiam canetas esferográficas, mas na *école communale* era obrigatório escrever molhando a caneta — de pena — no tinteiro. Em compensação, as crianças estudavam as peças de Molière e decoravam as fábulas de La Fontaine. Nos banheiros havia privadas turcas (aqueles buracos no chão).

Bruno chegou chorando da sua estréia na escola; dizia que não voltaria nunca mais àquele lugar em que não entendia nada do que falavam. Voltou, claro, foi alfabetizado em francês, e um ano depois não sabia mais falar o português, o que nos obrigou a misturar o português com o francês nas conversas em casa, para que ele pudesse entender.

A vida em Paris se normalizou, só que era complicado para Samuel, morando em outro bairro, ver as crianças. Então arranjamos uma fórmula que funcionou à perfeição: deixei o segundo apartamento, e alugamos dois outros, no mesmo andar de um prédio moderno no mesmo bairro, na rue Davioud; ele morava num, eu no outro, ao lado. O de Samuel era maior, tinha dois quartos e uma sala; ele recebia gente o tempo todo.

Eram os exilados, que passavam pela cidade ou chegavam para ficar, grande parte deles já amigos, outros ficando amigos. Sempre havia almoço para mais um, almoço feito pela babá portuguesa, Fátima, que virou cozinheira oficial da família; o jantar era sempre fora. No meu apartamento nunca havia nada para comer, praticamente. Se eu estivesse morrendo de fome, telefonava para a casa de Samuel e perguntava se tinha alguma coisa na geladeira. Ele nunca bateu na minha porta sem avisar, sempre ligava antes (eu também), e nos fins de semana as portas ficavam abertas, e era como se fosse uma casa só. Aliás, nessa hora era.

Retomamos a rotina do Rio: saíamos todas as noites, no início juntos, depois cada um com o seu grupo, e freqüentemente nos encontrávamos no Regine's, ponto obrigatório do final da noite. Eu tinha uma amiga brasileira da minha primeira fase em Paris, Maria de Lourdes, mais conhecida por Bombom, a quem adorava. Irmã do cônsul Fernando Campos, Bombom tinha uma intuição finíssima para apresentar pessoas que, ela sabia, combinariam — e combinavam mesmo.

Bombom era assim: quando Fernando foi transferido para a Alemanha, ela ficou em Paris, sem trabalho e sem dinheiro. Como tinha milhões de amigos, arranjou um emprego na Unesco, onde jamais pôs os pés; anos depois, recebeu um telefonema dizendo que estava demitida. Perguntou se precisava ir assinar a demissão; sim, precisava. Então perguntou o endereço, já que nunca estivera lá. Nesse período ela já namorava Bernard Malle, irmão de Louis. O namoro não ia nem para a frente nem para trás, e uma noite eles brigaram feio. Bombom pegou todos os livros de Bernard — que era colecionador de livros antigos —, jogou na rua e fez uma fogueira (e dizem que dançou nua em volta dela, em pleno inverno). No dia seguinte marcaram a data do casamento, e ficaram juntos por mais de trinta anos.

Bombom era muito inteligente; entendeu logo que, sendo brasileira e baiana, para ser chique em Paris devia se vestir como uma inglesa, e assim fez, até o fim da vida. E tinha os seios lindos; tão lindos que volta e meia, num restaurante, numa loja ou numa boate, sempre tinha alguém que dizia: "Bombom, mostra os peitos". Com a maior tranqüilidade ela levantava o suéter, mostrava, e a conversa continuava, como se nada tivesse havido. Quando começaram a aparecer seus primeiros fios de cabelo branco, comprou uma peruca grisalha, para ir se acostumando, e saía com ela para fazer suas compras no bairro. Toda vez que eu ia a Paris, Bombom era sempre a primeira pessoa para quem ligava — sabia seu número de telefone de cor, e ainda sei: 45043148. Mas, quando estive lá um ano atrás, não tive coragem de ligar. Tinha ouvido uma notícia triste, que no fundo sabia que era verdade, e tive medo de ouvir outra voz responder ou de ninguém atender o telefone. Mas como, Paris sem Bombom? Fiquei desolada, e minha temporada foi uma tristeza.

Só para lembrar: o mundo fervia, era o tempo dos Beatles, de Mary Quant, da *swinging* London, das minissaias. Eu conhecia muita, muita gente em Paris, mas, amigas mesmo, tinha quatro: Bombom, Violeta, Biagine, que fazia a ponte aérea Milão—Paris, e sua irmã, Josée, casada com Sacha Gordine, produtor do filme *Orfeu negro*. Esse foi apenas um dos casamentos de Josée; outro, foi com sua grande paixão, Eugène, na época estrela de espetáculos de music hall. Seu nome artístico era La Grande Eugène, considerado o maior travesti que a França já teve. Morreu em Nápoles, de cirrose, aos trinta e três anos. Fazia parte de nossa rotina (minha e de Samuel) ir duas ou três vezes por semana a Orly encontrar alguém que chegava do Brasil. A cidade era acolhedora, a população bem menor que a atual; deixávamos o carro — aberto — no estacionamento bem em frente ao aeroporto, recebíamos as pessoas e os envelopes com as cartas, jornais e as (más) novidades, e íamos para casa ler tudo, avidamente. Quem tinha boas relações com os jornalistas, em especial com os do *Le Monde*, se esforçava para que essas notícias fossem publicadas. Na época da ditadura, a correspondência do Rio para Paris e vice-versa era censurada, e podia pôr em risco não só quem escrevia como também quem recebia.

Toda vez que eu viajava para o Brasil, levava papéis comprometedores no meio dos apetrechos de maquiagem e das minhas caixas de cílios postiços, e a hora da chegada era sempre um estresse. Numa dessas viagens conheci um senhor muito simpático, que vim a saber que era general; conversamos muito, e, quando o avião começou a descer, tive a coragem de dizer o que tramava desde a decolagem. Fiz cara de santa e pedi a ele que ajudasse a liberar minha bagagem na alfândega, já que estava trazendo muitos perfumes. Gentilíssimo, o general disse que eu não me preocupasse, e minhas malas nem foram abertas. Os dominicanos, para quem eu levava a correspondência, ficaram encantados com minha esperteza. Muito mais tarde, soube que aqueles documentos eram de uma alta autoridade do Vaticano para o Père Secondi, frade dominicano francês, e que o conteúdo mencionava religiosos presos, inclusive frei Tito, que se matou depois de ser libertado. Père Secondi tinha um cargo alto na ordem, e era ele quem mandava os dossiês de tortura para o Vaticano. Para cumprir essa missão, era preciso encontrar uma pessoa de confiança e que ao mesmo tempo não despertasse suspeitas, por isso fui escolhida. Eu me senti uma verdadeira Mata Hari, e espero ter assegurado meu lugar no céu.

Dois meses depois de ter chegado a Paris — era início de outubro —, fui almoçar com Di Cavalcanti. Jango o nomeara adido cultural do Brasil na França dias antes do golpe, que o pegou já na cidade. Embora não tivesse dado tempo de Di assumir o cargo, ele resolveu ficar um pouco por lá. Durante o almoço, me contou que havia recebido carta de Antônio Maria pedindo que o ajudasse a encontrar um apartamento para alugar, pois chegaria no fim do mês. Gelei. Dadas as circunstâncias, seria muito difícil morarmos na mesma cidade pacificamente, e eu tinha certeza de que aquilo não daria certo. Decidi que, se Maria fosse para Paris, me mudaria para qualquer lugar por um tempo; para onde, não sabia, e isso não importava. Vivi duas semanas de pânico, e no dia 16 fui jantar com um amigo, Baby Bocayuva. Ele foi me buscar em casa e disse: "Tenho uma coisa para te contar". Fiz tudo o que podia para arrancar logo a novidade, mas não consegui. "Mais tarde", ele disse. Fomos a um restaurante, e no terceiro uísque Baby contou: "Antônio Maria teve um infarto e morreu".

Fiquei paralisada, e lembro exatamente do que aconteceu em seguida. Pedi a Baby que não me deixasse sozinha até que eu dormisse — e bebi até quase perder os sentidos. Ele me levou para casa, me botou na cama, e atendeu meu pedido. Na manhã seguinte, não consegui levantar; Samuel teve o bom senso de não aparecer. Telefonava — pouco —, e não tentou me ver nem uma vez; me deixou quieta. Pelo que soube, depois da minha viagem Maria se descuidou da saúde e voltou a beber muito, o que deve ter contribuído para a sua morte.

Eu não sabia o que fazer, o que falar, nem tinha com quem. O tempo foi passando, eu sem sair do quarto, sem tomar banho, sem me vestir. Era como se estivesse doente, de cama; Fátima e Samuel se encarregaram das crianças. Vinte dias depois minha grande amiga Biagine chegou de viagem. Tendo sido informada do que havia acontecido, ela e Josée entraram na minha casa, à noite, sem avisar, me seguraram pelos ombros e disseram: "Você vai se levantar da cama agora, vai se vestir, vai se maquiar, e vamos sair". Eu não conseguia fazer nada, mas elas não quiseram nem saber; me forçaram. Escolheram uma roupa, pintaram meus olhos, me fizeram botar um sapato alto, e saímos. Biagine era uma mulher forte, e nessa noite só ela falou, e falou muito. Não me lembro do que disse, mas me deu força para sair da depressão, e a partir do dia seguinte, com muito esforço, comecei a voltar a uma vida aparentemente normal. Estava dolorosamente encerrado mais um capítulo de minha vida.

Passei anos sem falar sobre Antônio Maria; muito tempo depois encontrei no Rio, por acaso, com sua filha, Maria Rita, de quem gostava — e gosto — muito. Ela foi bastante carinhosa comigo; alguns anos mais tarde cruzei com seu filho, Leo — apelido de Antônio Maria Filho —, que também me tratou muito bem. Esses dois encontros foram fundamentais para que eu tirasse da cabeça que era culpada pela morte de Maria. Não sei se Freud explica, mas Maria Rita tem um filho chamado Bruno, como meu filho, e Pinky tem uma filha chamada Rita.

Quando Samuel deixou o Brasil, sem saber o que poderia acontecer com seu jornal, passou parte das ações para duas pessoas de sua extrema confiança: trinta e três por cento para um dos advogados dele, e trinta e três por cento para seu maior amigo; as restantes ficaram em seu próprio nome. Dividindo dessa forma o controle das ações, não haveria possibilidade de traição, a não ser que os dois se juntassem, coisa mais do que improvável. Pois não deu outra. Quatro meses depois de mudar para Paris, Samuel recebe um telegrama assinado pelos dois, nos seguintes termos: ou comprava a parte deles por um milhão qualquer coisa, ou eles compravam a sua por quinhentos mil. Samuel ficou louco; duplamente traído. Pediu que eu viajasse para o Rio e tentasse falar com seu melhor amigo — que, afinal, era também meu amigo e, ainda por cima, padrinho de Pinky —, mas ele se recusou a conversar. Samuel então encarregou Baby Bocayuva de vender tudo o que pudesse para poder recomprar suas ações, e assim foi feito. Para Samuel, sobrou praticamente só o título do jornal. No dia seguinte, a imprensa publicou a notícia de um assalto que havia ocorrido na véspera — a manchete era: "Roubaram quinhentos mil". Na mesma hora escrevi uma carta para o padrinho — agora ex-padrinho — de Pinky, dizendo que, ao ler os jornais, pensei que estivessem falando dele. Escrevi só para desabafar.

Foi em dezembro de 64 essa volta ao Brasil, onde fiquei dois meses, aproveitando para fugir do inverno europeu; voltei para Paris em fevereiro. Meus pais já moravam na avenida Atlântica, onde, diz a lenda, nasceu a bossa nova. Encontrei a família elétrica: minha irmãzinha, tão tímida, estava ensaiando um espetáculo musical, que entraria em cartaz no final do mês. Foi uma surpresa geral quando, no dia da estréia, surgiu uma Nara Leão cheia de força e de luz, estrelando com Zé Kéti e João do Vale o show-peça *Opinião*, de Oduvaldo Vianna Filho, o Vianinha. Foi um sucesso absoluto e instantâneo. Nara saía do teatro exausta, e a repercussão foi de tal ordem que ela mal tinha tempo de dormir: entre um exercício de voz e outro dava entrevistas, e "não chegava para a encomenda", como se dizia. Um mês após a estréia, sua voz pifou. E Nara indicou uma moça da Bahia, inteiramente desconhecida, para substituí-la; era Maria Bethânia, que ela havia conhecido numa temporada que fizera em Salvador. Bethânia veio, e deu no que deu.

Só para contar: antes de entrar de cabeça na música, sem nunca ter pensado em ser cantora, Nara queria fazer alguma coisa, ser independente. Samuel resolveu ajudá-la, e ela foi trabalhar na *Última Hora*, onde era responsável pelo horóscopo.

Nara tinha um extraordinário faro para tudo o que dissesse respeito à música. Nossa relação não era a relação convencional entre irmãs. A diferença de idade era grande, e nós também éramos bastante diferentes. Nunca tivemos os mesmos amigos, nunca freqüentamos os mesmos lugares, nunca fomos às mesmas festas; eu comia o que queria e não engordava, Nara era comilona e nunca foi magrinha, mas nunca ouvi a palavra *dieta* da sua boca. Ela se ressentia — se o termo é esse — da minha personalidade extrovertida, da minha alegria escandalosa, do meu sucesso social, do fato de eu gostar tanto de moda, de dançar. E eu me ressentia de sua seriedade, de seu envolvimento com a política, de sua capacidade de estudar e ir fundo em tudo aquilo em que acreditava, de seus amigos intelectuais, de seu sucesso artístico. Quando Nara se casou com Cacá Diegues, já um cineasta famoso, eu morava em Paris e não assisti ao casamento, mas ela me homenageou escolhendo o dia do meu aniversário para a cerimônia. Apesar do aparente distanciamento, na hora do aperto contávamos uma com a outra e nos ajudávamos muito.

Quando hoje penso, vejo o quanto Nara foi importante na vida musical do país, e vejo também que éramos duas bobas: como acontece tanto entre irmãs, eu sentia uma certa inveja dela, e ela de mim. Quanta perda de tempo.

Recuando um pouco: quando nos mudamos para a França, Paris estava cheia de brasileiros. Lembro de quando Florinda, então Bulcão, surgiu. Ela namorava Olivier Fouret, que trabalhava na *maison d'édition* Hachette. Florinda era deslumbrante. Parecia um bicho, um bicho lindo, uma pantera. Ela e Olivier viveram juntos por um tempo, num pequeno apartamento na rue Monsieur le Prince. Como ela havia sido aeromoça da Panair, os almoços na sua casa eram assim: numa bandeja, vários recipientes pequenos, um com uma saladinha, outro com o prato principal, outro com a sobremesa; era como se estivéssemos a bordo de um avião. Olivier, um francês total, que caçava todo fim de semana, era rico e um dia comprou um castelo, o que provocou o comentário mordaz de Bombom: "Castelo não se compra, se herda". Bem, não havia muito clima para procurar trabalho. A vida era tão boa, nos divertíamos tanto, bastava viver. Um parêntesis: logo depois do golpe de 64, ser brasileiro em Paris dava prestígio, pois todos eram tidos como exilados, e, portanto, contra a ditadura militar.

Trafegávamos com facilidade entre o mundo do glamour e o dos exilados, e víamos com certa regularidade Miguel (Arraes), Waldir (Pires) e Serra (José), na época um garoto. Miguel chegou à Argélia em meados de 65, depois de passar um ano e alguns meses preso na ilha de Fernando de Noronha. Fazia menos de vinte e quatro horas que estava em Argel, quando houve o golpe de Estado que depôs o presidente Ben

Bella; aos poucos, foi chegando sua família: a mulher, Madalena, e os dez filhos. Waldir era deputado, e Serra, presidente da União Nacional dos Estudantes, a UNE. Violeta se encarregava de distribuir nossas heranças, como, por exemplo, as roupas que não cabiam mais nas crianças. Por ela eu soube — e vou ser indiscreta — que nossos maiores herdeiros eram Yolanda e Waldir Pires, que tinham filhos um pouco menores que os nossos. Serra era um garoto de vinte e três, vinte e quatro anos, solitário, tímido, meio perdido, com olhos lindos, e saímos juntos algumas vezes. Mas eu me achava muito velha para ele: tinha trinta e um anos.

Samuel recebia gente o dia todo, e num certo período o caricaturista Lan e a mulher, Olívia (uma das então famosas Irmãs Marinho do *show business* e do Salgueiro), se hospedaram na casa dele. Nunca vou me esquecer das deliciosas empadinhas que Olívia fazia e que eram um sucesso entre os brasileiros. Mas não eram só brasileiros que freqüentavam a casa de Samuel: por lá também passaram de Pablo Neruda a Fred Chandon, de Louis Malle ao editor Guy Schoeller, Celso Furtado, às vezes Juscelino — e sempre muitas mulheres bonitas, claro.

Não canso de repetir o quanto Samuel era inteligente; inteligente e astuto. A cada homem que se aproximava de mim, a primeira providência que ele tomava era se avizinhar e fazer um tal charme que fascinava a todos. Deixando mais ou menos claro que era apaixonado por mim, criava uma situação de constrangimento — os dois ficavam amigos, e meu galã se afastava. Com Babou foi assim.

Babou, Edmond Poniatowski, era um príncipe polonês. Trabalhava num banco, o Lehman Brothers; era boêmio, atravessava as noites — todas elas — nas boates da cidade e estava sempre inventando alguma coisa: um fim de semana em

Marrakech, uma noite em Londres, três dias em Praga, tudo na última hora, no último minuto, e sempre com esplêndidos amigos em todos os lugares. Babou nunca, em nenhum momento, demonstrou se importar com seu título de nobreza, e tomei um susto quando me contou que sua família era tão nobre, mas tão nobre, que era a única a poder entrar montada a cavalo nas igrejas da Polônia — eu jamais tinha ouvido falar que alguém pudesse entrar a cavalo numa igreja.

Logo que desembarquei, Babou nos levou — a mim e a Samuel — a um grande baile na casa de Pierre Cardin, um *hôtel particulier* fantástico no Quai d'Orsay; o show da noite foi Dionne Warwick, naquele momento o máximo dos máximos. Eu não tinha vestido para o baile, mas Babou, que conhecia todo mundo, disse que não havia problema: ele arranjaria um emprestado em qualquer *maison de couture*. Acabei usando meu sári da inauguração de Brasília, considerado, com razão, algo de muito original.

Babou era a pessoa mais gentil que pode existir; tornou-se, claro, um grande amigo de Samuel, e um dia, sem motivo aparente, se afastou de mim. Anos depois, ele me contou o motivo — óbvio, naturalmente. Isso aconteceu com muitos outros.

Quando penso, hoje, me pergunto: será que Samuel foi tão apaixonado por mim quanto diziam? Ele gostava de mim, claro, vieram os filhos, que ele adorava, mas paixão, paixão mesmo, acho que era só pelo jornal. Desconfio que o mito desse amor — muito estimulado por ele — era um escudo para livrá-lo de compromissos mais sérios com as dezenas de namoradas que teve depois de mim. Grande estrategista, Samuel.

Mas são complicadas as relações humanas. Se Samuel agia dessa maneira, eu, que não tinha a menor intenção de casar de novo com ele, não achava a menor graça em suas namoradas. Para mim, Samuel era propriedade minha, e eu não me questionava sobre o absurdo desse pensamento. Era assim, e pronto. Mimi e eu nos falávamos cordialmente, nos beijávamos, mas guardávamos uma distância regulamentar, digamos. No verão (europeu) seguinte — 1965 —, decidimos alugar uma casa de praia em Hendaye; o local, escolhido por Samuel, era pertinho da cidade de Arcangues, onde se situava o castelo da família do marido de Mimi e onde ela sempre passava o verão com o filho. Tudo muito bem organizado, como se vê.

Samuel ficou em Paris; pegava um trem e ia nos ver — aos filhos, a mim e a Mimi — todo fim de semana. Biarritz era ao lado, lá veraneavam vários amigos nossos, e, para completar, num hotel da cidade havia um Regine's, aonde íamos quase todas as noites. À medida que o Regine's foi fazendo sucesso, Régine, que começou a vida cuidando do toalete de uma boate chamada Epi Club, em Paris, foi expandindo seus domínios, e inaugurou Regine's em Monte Carlo, Rio, São Paulo, Nova York e outros lugares do mundo.

Eis que uma noite, durante aquelas férias, vi Mimi fazendo charme para um garoto; fiquei atenta. Dois dias depois fomos todos, Mimi, eu, Bombom, Regina e Wallinho Simonsen, e mais outros, levar Samuel, que estava voltando para Paris, à estação. Regina era, de solteira, Rosemburgo; uma mulher linda, de cabelos pretos e olhos verdes, que despertou paixões e se casou com Wallinho, cuja família foi dona da TV Excelsior e da Panair. Eles moraram um tempo em Paris e alugaram um espetacular *hôtel particulier* na Île St. Louis, onde recebiam para feijoadas divertidíssimas; a cerveja era brasileira, levada pelos aviões da Panair. O casamento durou pouco, Regina casou de novo, com Gerard Leclery, dono do império de sapatos André, e morreu aos trinta e quatro anos no avião da Varig que caiu quando se preparava para pousar no aeroporto de Orly. Anos depois Gerard se casou com Nelita, aquela que fugiu de casa para casar com Vinicius, lembra?

De volta à plataforma da estação: o trem sairia às dez horas, mas, como era época de férias e os vagões estavam todos lotados, puseram um trem suplementar, que partiria às dez e vinte e dois. Por culpa do atraso inesperado, Samuel viu o tal garoto aparecer na estação para encontrar Mimi. Samuel ficou meio pálido, mas embarcou — não havia outra coisa a fazer.

Fiquei furiosa, mas furiosa mesmo. Sem raciocinar, parti direto para Mimi e disse-lhe muitas coisas que na verdade não eram da minha conta. Entre elas, que marido se trai porque é muito complicado separar, dividir o castelo, o dinheiro, o filho, mas que amante não se trai — e por aí fui. Acabei dando uma bofetada nela, e foi preciso que os amigos nos apartassem para que a situação não se agravasse na *gare* de Biarritz. Minha teoria era simples: ninguém podia maltratar Samuel, fazê-lo sofrer (só eu), pois ia se dar mal comigo. Samuel me telefonou na manhã seguinte, soubera dos acontecimentos, mas não teve coragem de me dar uma bronca — e continuou com Mimi. Aliás, eu já devia ter aprendido desde o tempo em que éramos casados: quantas pessoas deixei de cumprimentar por ter vindo a saber que haviam sido desleais a Samuel, e dias depois o via abraçado a elas como se nada tivesse acontecido.

O tempo foi passando, e um dia Fátima disse que iria para a Alemanha, trabalhar numa fábrica. Tentamos arranjar uma empregada francesa, mas não deu certo; estávamos muito mal-acostumados com as facilidades luso-brasileiras, e cozinhar para no mínimo cinco pessoas por noite estava fora de questão para mim; em primeiro lugar, porque eu não sabia e, em segundo, porque não tinha a menor intenção de aprender. Um dia Samuel, vendo a desorganização em que se encontrava nossa vida, sugeriu que enviássemos as crianças para um colégio interno.

Vale dizer que, na Europa, ter filhos internos não é a tragédia que é no Brasil; por conta da escassez de empregadas domésticas e do custo que representam, era o único jeito. Samuca e Bruno foram para um colégio numa cidade nas montanhas perto de Gstaad, em Château d'Oeux, e Pinky para um que ficava a cinqüenta quilômetros de Paris, em Mortefontaine; esse colégio, de freiras, funcionava num antigo castelo que abrigou, por uma noite, Napoleão, o que era motivo de grande orgulho para as alunas. Ela ia para casa todo fim de semana; os meninos, que voltavam só nas férias de Páscoa, Natal, e no verão, nós visitávamos regularmente; quando estava na época, levávamos cerejas, e era uma festa. Lembro bem da preparação para a ida: os colégios mandaram uma lista das roupas que as crianças deveriam levar, tipo doze pares de meias, quatro pijamas, essas coisas. Encomendei etiquetas com o nome de cada um, e passei noites e noites marcando cada peça.

Os três praticamente viraram crianças francesas: na maneira de se comportar, de pensar, de se vestir; os meninos, que usavam calça curta, só saíam de camisa, gravata e blazer. Numa das férias viajamos para o Rio, e foi uma tragédia: Bruno não conseguia se comunicar com ninguém, pois havia esquecido totalmente o português. No colégio, todos aprenderam a ser disciplinados, experimentaram os primeiros prazeres gastronômicos e foram instruídos a não deixar nada no prato — tinham que limpar os últimos vestígios de comida com um pedaço de pão. Bruno ainda hoje se orgulha de saber fazer uma cama como ninguém. Uma noite, jantando no Hotel Beau-Séjour, perto do colégio, ele viu David Niven e ficou siderado. Foi até a mesa dele e pediu um autógrafo. Voltou e pediu outro, para o irmão; voltou e pediu outro, dessa vez para a irmã. O ator pegou um papel e deu o último, dedicado “a Bruno e toda a sua família”.

Em 66 viajei para o Brasil, justamente quando Nara cantou “A banda” no Festival da Record. Lembro que trouxe uma roupa moderníssima: saia (míni) prateada, suéter de malha prateada e mocassim idem. Disse a Nara que devia se apresentar com aquela roupa, mas ela, na sua timidez, não quis. Insisti, e foi um problema: quando ela se viu vestida como se tivesse saído de uma nave espacial, caiu em pranto, e foi necessária muita conversa para convencê-la a usar a roupa — e Nara ficou linda. Havia a torcida da “Banda” e a de “Disparada”, as duas canções que acabaram empatando, embora estivesse claro (pelo menos para mim) que “A banda” merecia ganhar. Aliás, correu nos bastidores que a vitória tinha sido do Chico e que ele é que pedira o empate como resultado.

Voltei para Paris, a vida foi correndo, e um dia Samuel resolveu fazer cinema; enredou-se na produção de um filme na Grécia dirigido por Nikos Papatakis, que já tinha feito *Les abysses*. Isso o ocupou por uns tempos — o vazio da vida de um exilado não é fácil. O filme foi um fracasso e levou as últimas reservas de Samuel. Seu advogado foi Robert Badinter, mais tarde ministro da Justiça: o homem que conseguiu que a pena de morte fosse abolida na França. Eu também trabalhei em cinema, por acaso: numa das vezes em que vim ao Brasil, em 67, Glauber (Rocha) me convidou para participar de *Terra em transe*. Nunca fui nem pretendi ser atriz, mas sempre gostei de novidades. Na hora de dizer as falas, era uma verdadeira tragédia; para começar, eu não era capaz de memorizar nenhuma. Problema? Claro que não. Glauber decidiu que meu personagem não diria uma só palavra.

Glauber não era mundano, nem boêmio, nem gostava de vida noturna, mas às vezes entrava no Antonio's — o bar da moda, e o mais famoso que o Rio de Janeiro já teve — e saía com uma quentinha cheia de quindins. Quando namorava, era fiel e, quando não namorava, às vezes se trancava no quarto com uma mulher durante três dias. Costumava receber os atores totalmente nu — eu nunca vi, mas era o que contavam —, e uma ocasião deu uma entrevista dizendo que seu filme era uma ópera barroca e cósmica. Sua técnica era primeiro enlouquecer os atores, depois fazer deles exatamente o que queria. Segundo Glauber, ator não tinha que entender nada, nem do filme nem do personagem. Contracenei com Paulo Autran, Jardel Filho e Glauce Rocha, e meu figurino, deslumbrante, foi feito por Guilherme Guimarães.

Guilherme era — e é — o maior costureiro do Brasil, e nós éramos íntimos — e ainda somos. Numa época em que estava com as finanças meio em baixa, resolveu dar uma festa *black-tie* em sua casa na Barra. As mulheres teriam de ir vestidas de amarelo ou branco, conforme viesse especificado no convite. As colunas noticiaram, mas os convites não chegavam, e as socialites, apavoradas, com medo de que o convite chegasse só dois dias antes — o correio era assim —, encomendaram cada uma dois vestidos, um amarelo e um branco. Houve a festa, e Guilherme recuperou suas finanças lindamente. De outra vez, ele encomendou seu retrato a Darcy Penteado — um quadro enorme, feito a carvão —, ótima razão para mais uma festa. O retrato chegou dois dias antes, e Guilherme não gostou: achou que a bainha da calça estava curta, os cabelos também. Chamou um amigo e mandou retocar o quadro inteiro, que ficou exatamente como ele queria. Quando alguém disse que aquilo era um desrespeito à obra do artista, Guilherme foi claro e prático: "O quadro é meu, paguei por ele, faço dele o que quiser".

As locações de *Terra em transe* foram as casas dos amigos. As filmagens terminavam cedo, às três da tarde, quando Luiz Carlos Barreto, diretor de fotografia, Zelito Viana, produtor, e o próprio Glauber botavam uma gravata e saíam correndo atrás de dinheiro nos bancos para poder continuar o filme. No primeiro dia de filmagem, Paulo Autran, já um monstro sagrado do teatro brasileiro, deu uns pequenos palpites, e Glauber não gostou. Chamou Zelito e disse: "Demite esse cara". Mas como, demitir Paulo Autran? Com muito jeito, Zelito falou com Paulo, que entendeu e disse que não abriria mais a boca, a não ser para dizer suas falas. Ganhei quinhentos qualquer coisa pela participação, como todos os atores; quando me vi na tela pela primeira vez, detectei bolsas debaixo dos olhos e fui correndo tirá-las com Pitanguy. Como paguei pela cirurgia a mesma quantia que recebera com o filme, achei mais fácil repassar o cheque, que infelizmente não tinha fundos. A questão acabou sendo resolvida pela produção, e deu tudo certo.

O filme foi exibido no festival de Cannes. Quando desci do avião em Nice, vi uma jovem na porta da primeira classe, com um grande buquê de flores. Olhei em volta, imaginando uma estrela no mesmo vôo. Houve uma certa confusão até que se descobrisse que as flores eram para mim, passageira (e ilustre desconhecida) da classe turística. E lá fui eu, com um vestido de Emilio Pucci, subindo (e descendo) as escadarias do Palais du Festival, ao lado de Zelito Viana e José Lewgoy, que também participou do filme. Durante o festival houve, como é de praxe, uma coletiva para a imprensa, com a presença do diretor. Glauber não queria ir por nada deste mundo; acabou sendo praticamente arrastado pela Croisette por Zelito, parando a cada vinte metros para vomitar, de tão nervoso.

Terra em transe se tornou um clássico do cinema brasileiro e consagrou Glauber como gênio. Anos depois, quando foi fazer *A idade da terra*, ele ligou para minha casa e me convidou de novo para um papel. Quando atendi, foi logo dizendo: "Quero você loura, *platinum blonde*". Qual a mulher que, no fundo do coração, nunca pensou em ser loura? Quantas tiveram coragem? Mas nesse caso era uma ordem, ordem do diretor do filme. No dia seguinte, cedinho, fui para o cabeleireiro, e saí de lá irreconhecível. Dessa vez Glauber queria que eu falasse, mas de improviso. Antes das filmagens ele conversava comigo sobre fatos que eu tinha vivido e dizia: "Vou rodar, comece a falar". Às vezes o assunto acabava, e lá vinha ele, me estimular e provocar para que eu continuasse. O filme foi um fracasso retumbante. Passou uma semana num cineminha no Rio, nem tive chance de vê-lo; assim se encerrou minha carreira de estrela de cinema, e meu cabelo quase caiu por causa dos produtos usados para me transformar em loura.

Sempre que vinha para o Brasil, eu ficava num apartamento que havia comprado na avenida Vieira Souto, mas nunca fui uma verdadeira garota de Ipanema. Nunca freqüentei o Veloso, o Zepelin, o Bofetada, o Jangadeiro, o Mau Cheiro, o Píer, o Arpoador, as Dunas da Gal, o Posto 9, a Montenegro. Minha Ipanema era minha casa, e minha praia era em frente à minha casa, onde os amigos — Paulo Francis, Flávio Rangel, Janio de Freitas, Cacá, Glauber, Nara, claro, Ênio Silveira, Vera Pedrosa e Luciano Martins sempre de mãos dadas — vinham se encontrar. Todos estavam começando a se tornar famosos: Francis e Janio, grandes jornalistas; Flávio, um consagrado diretor de teatro; Cacá, um dos maiores cineastas do Brasil; de Glauber nem é preciso falar; Ênio já era editor da Civilização Brasileira. Vera e Luciano se separaram; depois da separação, ela estudou, fez o curso do Instituto Rio Branco, hoje é nossa embaixadora em Paris, e ele foi, durante o governo FHC, nosso embaixador em Cuba. A maioria dos personagens do livro de Ruy Castro, *Ela é carioca*, nunca foram meus amigos, eu apenas sabia da existência deles. Eu não era de Ipanema mas era, dá para entender? Agora, na Banda de Ipanema saí várias vezes, e me esbaldei.

Um dia de 1967, em Paris, conheci o dono de uma grande loja de departamentos, a Exposição Carioca; houve uma conversa e uma proposta para que eu abrisse uma butique dentro da loja. Topei, claro, e comecei a fazer a ponte aérea Rio—Paris. Foi um sucesso, mas pouco rentável. No início de 68, os emissários de Samuel informaram que ele já podia retornar, sem risco de ser preso — só continuava sem os direitos políticos, que lhe foram cassados por dez anos. Isso significava que ele não podia votar, o que não mudava nada. Qual a diferença entre poder e não poder votar, se não havia eleições? Voltamos todos em maio desse mesmo ano, e tempos depois resolvi abrir minha própria butique, em Ipanema.

Os amigos que disseram a Samuel que ele podia voltar tinham ligações com os militares, que se achavam suficientemente fortes e não se sentiam ameaçados pela presença do dono da *Última Hora*, um jornal que havia perdido muito de seu vigor. Ele viajou primeiro, com os meninos, e Pinky ficou em Paris, na casa da embaixatriz Lais Gouthier, nossa grande amiga, para completar o ano letivo. No dia em que Samuel chegou ao Rio, o carro que o levava para a casa de

Nara, onde ficaria hospedado, passou pelo túnel Rebouças, que liga a Zona Norte à Zona Sul e fora aberto durante seu exílio; na saída, quando deu de cara com a paisagem deslumbrante da Lagoa, ele caiu em pranto.

Entreguei as chaves dos dois apartamentos e voltei para o Brasil, pronta para começar uma vida nova. Foi bom ter morado em Paris, mas não senti a menor tristeza quando parti. Eu adorava o Rio.

7

Assim, estávamos no Brasil quando, em dezembro de 68, veio o Ato Institucional nº 5. A época era das piores, amigos eram presos, uma insegurança geral. Para se proteger, Nara e Cacá passaram uns dias em meu apartamento. Algum tempo depois, Nara teve informações de que corria o risco de ser presa; ela havia feito não só *Opinião* como *Liberdade, liberdade*, e numa entrevista recente dera declarações consideradas ofensivas pelos militares. Apesar de toda a imprensa ter se posicionado a favor de Nara, e de Carlos Drummond de Andrade ter escrito um lindo poema pedindo que não a prendessem, ela e Cacá acharam mais seguro se exilarem em Paris. Desencontradas, nossas vidas: eu vivera quatro anos em Paris e, mal tinha voltado, Nara partia. Ela ficou lá por dois anos, e lá nasceu sua filha, Isabel.

A vida profissional de Samuel degringolava. Para sobreviver, ele vendia os quadros e tudo o mais que pudesse ser vendido, e nenhuma das tentativas para reerguer a *Última Hora* funcionou. A experiência de trabalhar com Adolfo Bloch fazendo uma revista, *Domingo Ilustrado*, durou menos de dois anos e também não deu certo. Eles nunca se deram bem; para Samuel, Bloch não era jornalista, apenas um gráfico. Mas o ânimo e a esperança estavam sempre presentes nele, que continuava sendo convidado para tudo e não deixava de ir a nada. As portas de sua casa — aliás, eu havia alugado para ele o apartamento da Vieira Souto — estavam abertas para os amigos a qualquer hora do dia (e da noite). Pinky me contou que, quando a escritora Françoise Sagan esteve no Brasil, ela vivia na casa de Samuel; certa vez, depois de uma feijoada, eles foram juntos para a redação da *Última Hora* ver a chegada do homem à Lua. Eu assisti sozinha, no aeroporto de Milão.

Uma noite, mesmo sem dinheiro, Samuel receberia trinta pessoas para o jantar. Às cinco da tarde o avisaram de que o gás havia sido cortado, por falta de pagamento. Nenhum problema: o jantar foi transferido para o restaurante Mario's, um dos melhores do Rio, e Samuel assinou a conta. Se ela foi paga algum dia, isso não se sabe.

Lembro de uma ocasião, uns quinze dias antes do Carnaval de 70, em que ele recebeu para uma feijoada. A música do momento era "Aquele abraço", composta por Gilberto Gil durante sua prisão, em 69. E acredite quem quiser: o almoço começou às duas da tarde, acabou por volta da meia-noite, e só tocou essa música, o tempo todo. Pode parecer que foi monótono, mas não foi: era a música certa na hora certa.

As coisas foram piorando, o dinheiro ficava cada vez mais escasso, e em 75 Samuel resolveu se mudar para São Paulo. A cidade o recebeu de braços abertos e lhe prestou todas as homenagens; mesmo sem dinheiro, ele voltou a ser o Samuel Wainer paparicado, tendo seu valor reconhecido. Quem não queria ser amigo dele? Mas, como não podia ficar quieto, decidiu lançar outro jornal, o semanário *Aqui, São Paulo*, que não deu certo. Colaborou na revista *Vogue*, na *Status*, e encontrou seu lugar na segunda página da *Folha de S.Paulo*, onde escrevia sobre política e assinava S.W. Foi seu último trabalho.

Meus amigos sempre foram os que, na época, eram considerados de esquerda, e uma vez, mesmo nunca tendo participado de nenhuma atividade política, escapei de ser presa por causa de minha gula. Foi assim: nos primeiros dias de setembro de 69, eu e Pinky, na nossa eterna mania de magreza, estávamos fazendo a dieta da moda, que era a da água: só se tomava água o dia inteiro e, à noite, uma sopa de alface. Minha amiga Vera Simões, filha de Simões Filho, ex-ministro da Educação de Getulio e dono do maior jornal da Bahia,

A Tarde, estava fazendo a mesma dieta, e nos convidou para passar uns dias com ela, para enganarmos a fome juntas. Adoramos a idéia, fizemos nossas malas e fomos para sua espetacular casa em Santa Teresa.

Vera era separada do deputado (cassado) Baby Bocayuva Cunha e tinha uma filha chamada Heleninha que acabara de se separar do marido e estava morando com ela. Ficávamos o tempo todo na piscina, e na quinta-feira, dia 4 de setembro — impossível não lembrar a data —, as rádios e televisões deram a notícia do seqüestro do embaixador americano Charles Elbrick. Grudadas no radinho de pilha, nos empolgamos ao saber das exigências dos seqüestradores: a libertação de quinze presos políticos, entre eles José Dirceu. Heleninha entrava e saía da casa freneticamente, e sempre deixava comigo uns recados estranhos — que, se um certo Godofredo, digamos, telefonasse, era para dizer que ela o encontraria no cinema às sete da noite. Eu, pensando que ela driblava a mãe a respeito de um provável novo namorado, cumpria minhas tarefas à perfeição, entre um copo de água e outro.

Na noite do sábado, dia 6, Vera chamou uns amigos para jogar biriba, e perto da meia-noite ouvimos uns estampidos, tiros ou fogos, não soubemos na hora. Um minuto depois Heleninha entrou na sala, nervosíssima, vestindo um jeans por baixo do penhoar. No dia seguinte, vimos nos jornais que o que ouvíramos tinham sido os fogos comemorativos do Sete de Setembro. Nem sequer podíamos i-ma-gi-nar que Heleninha estava envolvida no seqüestro do embaixador e que a casa que servia de cativeiro não só havia sido alugada no nome dela, como era a dois passos da casa onde estávamos.

No domingo de manhã, Heleninha estava a mil, agitadíssima, e lá pelo meio-dia avisou que ia sair. Vera perguntou se ela não queria que o motorista a levasse, mas a sugestão foi rapidamente rejeitada. Heleninha fora informada de que os militares tinham localizado o cativeiro do embaixador, e precisava sumir, e com urgência. Nós continuamos a beber água, sem desconfiar de nada. Lá pelas quatro da tarde, à beira de um desmaio, liguei para meu pai, que disse que eu era louca de fazer aquela dieta, que fosse imediatamente para a casa dele comer uma moqueca de camarão com leite de coco. Quando ouvi falar em moqueca, me transformei numa traidora (do grupo da dieta) sem nenhum caráter e, além disso, numa mentirosa. Inventei que meu pai havia me chamado para assinar uns papéis, e fomos, eu e Pinky, nos entregar aos prazeres da mesa.

De lá voltei para casa, e Pinky foi encontrar umas amigas. Dali a pouco Samuel começou a telefonar. Não dava nenhuma informação, só dizia e repetia, nervoso: "Não saia. Procure Pinky, diga para ela voltar já para casa, não saiam. Não posso falar, mais tarde passo aí, não saiam". Tudo muito estranho, até que lá pelas dez da noite ele chegou, e foi então que tomamos conhecimento do envolvimento de Heleninha no seqüestro e da libertação do embaixador.

Tempos depois, eu soube que, logo que saímos da casa de Vera, a polícia chegou, atirando nos cachorros, e levou para depor, além dela, Verinha, sua outra filha, o embaixador Lolô Bernardes e a mulher, Eliana, que haviam ido fazer uma visitinha. Vera, que tinha mais três filhos, disse que não podia largar as crianças sozinhas, que precisava ligar para alguém ir tomar conta delas. Telefonou para Baby, mas não o encontrou. Quando chegou à delegacia, ele já estava lá, preso também. E mais Dalal Achcar, com quem Baby se casou mais tarde.

Dalal era uma socialite apaixonada por balé que anos depois, quando Brizola governava o estado, veio a ser diretora do Theatro Municipal. Foi em sua casa que conheci Margot

Fonteyn e Nureyev. Levei um susto: ele era lindo, mas muito mais baixo do que parecia nos palcos.

Vera me contou que, durante o tempo em que esteve presa, certa vez viu passar no corredor uma cara conhecida e, quando encontrou Baby, perguntou: "Não era o Paulo Francis?". E Baby respondeu baixinho: "Na cadeia não se conhece ninguém". A prisão durou um mês, e houve um momento de rara felicidade, quando chegou para ela um grande pacote do Lidador, a mais requintada delicatéssen do Rio, mandado por Carlos Lemos, então jornalista do *JB*. Havia latinhas de cerveja, queijos importados, biscoitos, tudo o que pode alegrar a vida de uma pessoa encarcerada. Dessa eu escapei por muito pouco.

Minha vida sempre foi uma montanha-russa, financeiramente falando, e a essas alturas eu já havia começado uma longa e diversificada carreira profissional. Como não sabia fazer nada, fazia tudo o que aparecesse. Depois da butique da Exposição Carioca, foi a vez da minha, em Ipanema, que se chamava Voom-Voom, em cima do antigo bar Zepelin. Durou cerca de dois anos, e emplacou. Eu viajava, trazia o que havia de mais moderno — uma única peça de cada modelo —, e copiávamos tudo (é bom lembrar novamente que naquela época artigos estrangeiros não entravam no Brasil). Mas comecei a me enrolar com a burocracia, me convenci de que não tinha nascido para o comércio, e fechei, antes de ir à falência. Até hoje a visão de uma nota fiscal me dá alergia, sou uma nulidade para decifrar um formulário do ISS, e jurei — jurei mesmo — que nunca mais na vida teria um negócio próprio. Queria só uma coisa: arrumar um emprego e receber um salário no fim do mês.

Por outro lado, sempre tive a mania de mudar de casa. Comprava um apartamento velho, caindo aos pedaços, reformava, morava nele uns seis meses, vendia — sempre com lucro — e começava tudo de novo. Minha intenção não era ganhar dinheiro com a transação imobiliária, mas a verdade é que ganhei, e muito. E me divertia loucamente durante a obra. Sou assim até hoje. Não me ofereçam um apartamento perfeito e acabado para morar: se não tiver uma boa obra para fazer, que me deixe bem histérica, para mim não tem graça.

Quando fechei a butique, voltou a aflição: trabalhar em quê? Aí, fui convidada por Flávio Cavalcanti para fazer parte do júri do seu programa de auditório. O programa ia ao ar todo domingo, pela TV Tupi, das seis da tarde às dez da noite. A audiência chegava a setenta por cento dos televisores ligados no país. (Para se ter uma idéia do sucesso do programa, antes dele havia outro que se chamava *Enquanto Seu Flávio Não Vem.*) O apresentador e os membros do júri usavam *black-tie*, e, como não havia ar-condicionado — o programa era ao vivo, no antigo Cassino da Urca —, a temperatura chegava aos cinqüenta graus. Durante os comerciais o júri tomava praticamente um banho de água mineral, para suportar o calor.

Flávio era uma personalidade controvertida: apoiou o golpe de 64, depois do AI-5 afastou-se dos militares, fazia apologia da moral, da propriedade, da hierarquia, dos bons costumes e da religião; ao mesmo tempo mostrava em seu programa as maiores aberrações, como o caso de um homem que, por ser impotente, emprestou a mulher ao vizinho (o programa foi suspenso por trinta dias por isso), mas terminava sempre com um discurso emocionado contra os horrores que ele próprio divulgava. Comandou um programa musical na TV Tupi, *Um Instante, Maestro*, em que falava — e opinava — sobre música em geral. Era dramático, chorava no ar, quebrava, teatralmente, os discos (LPS) de que não gostava, e era virulento quando uma música lhe parecia a favor das drogas ou da liberdade sexual. John Lennon era um de seus alvos prediletos, e a música de Caetano "Alegria, alegria", que dizia "Sem lenço sem documento", foi violentamente atacada por ele, que considerou a letra, por suas iniciais, uma indução ao consumo de LSD. Ficaram famosos os bordões que pronunciava com o dedo em riste: "Um instante, maestro" e "Nossos comerciais, por favor".

Eu ganhava muito bem e me divertia muito. Entrávamos na onda batendo palmas, quando Roberto Carlos cantava "Jesus Cristo", ou cantarolando com Wando: "Eu quero me enrolar nos seus cabelos, abraçar seu corpo inteiro, morrer de amor, de amor me perder", sem nenhum pudor de mostrar nosso lado brega. Só para lembrar: quando Wando canta, as mulheres jogam calcinhas no palco, e é dele esta pérola: nada melhor, depois do amor, do que abrir uma lata de pêssegos em calda para comer com a mulher amada. Havia também calouros, candidatas a atriz, Pelé, que era assíduo no programa, artistas estrangeiros em visita ao país, cachorros que passavam por um aro de fogo, papagaios que conversavam, um verdadeiro circo. Houve o concurso para eleger o homem mais bonito do Brasil, com eliminatórias a cada semana — venceu Pedrinho Aguinaga, que fez muitos comerciais e virou ator de cinema. E o júri era bem eclético; dele faziam parte o compositor Ronaldo Bôscoli; Alziro Zarur, que tinha um famoso programa de rádio e oferecia, em diferentes pontos da cidade, a sopa dos pobres; as atrizes Márcia de Windsor e Leila Diniz; a radialista Íris Lettieri, dona da voz que se ouve hoje nos aeroportos do Brasil anunciando a chegada e a partida dos vôos; o maestro Erlon Chaves, e, num período, a socialite paulista Lucinha Cochrane. Até Pinky, na flor dos seus dezessete anos, participou do júri; lembro bem do dia em que ela entrevistou Josephine Baker em francês.

Flávio, pelo seu reacionarismo, era malvisto pela turma da esquerda, mas estava tentando mudar sua imagem. Fui meio patrulhada quando entrei no programa, mas não dei bola. Aliás, patrulhada em termos; naquela época havia pelo menos três esquerdas no Brasil: a festiva, que era bem alienada; a *heavy metal*, perto da qual não se podia fumar cigarro americano nem tomar uísque escocês, nem dar esmola aos pobres para não "atrasar o processo", e a que eu freqüentava, que fazia tudo para levar à loucura os militares, debochava, gargalhava, se divertia. Num determinado momento, quando Leila Diniz estava ameaçada de ser presa por ter ajudado a esconder militantes de esquerda — sempre que ela fazia ou dizia alguma coisa, corria o boato de que seria presa —, Flávio a escondeu em seu sítio em Petrópolis durante algumas semanas. Uma personalidade difícil de ser compreendida, Flávio Cavalcanti.

Leila foi o símbolo de todas as liberdades do país, mas lembro bem de uma viagem que fizemos juntas a Porto Alegre para participar de um programa de TV. Ela já estava namorando Ruy Guerra, com quem teve sua filha, e muito apaixonada. Quando terminamos o programa, houve uma festança em que Leila, a musa do *Pasquim*, teria sido a rainha. Só que ela voltou cedo para o hotel; quando eu cheguei (estávamos no mesmo quarto), ainda deu para ouvi-la falando no telefone, baixinho, debaixo do cobertor, para eu não ouvir, como qualquer mulher do subúrbio fala com o homem que ama. Quando amam, as mulheres são todas iguais.

Ficamos, todos os integrantes do júri, muito famosos, e nos tornamos personagens permanentes das revistas de TV. Certa vez — não me perguntem como nem por quê — fui eleita Rainha da Televisão Brasileira, com direito a ser coroada pelo Rei Momo no Canecão e tudo. Meu passado me condena. As crianças adoravam, às vezes iam comigo para conhecer os artistas, e Bruno ficou todo prosa quando tirou uma foto com Roberto Carlos.

Além disso, eu era convidada para participar de bailes de formatura no interior nos quais não precisava fazer nada a não ser posar para fotos com os locais. E também para fazer propagandas, como a do cigarro Charm, para a qual foram chamadas as quarenta ou cinqüenta mulheres mais badaladas do Brasil. Coisas que melhoravam bem minha vida financeira.

Um dia, inventaram uma brincadeira no programa de Flávio: cada um dos componentes do júri mandava um "adeusinho" para alguém. O meu foi para "uns amigos" que tinham ido passar uma temporada em Realengo e que esperávamos estivessem de volta na semana seguinte. Eu estava falando, sutilmente, da turma do *Pasquim*, que estava quase toda presa no quartel daquele bairro. Quando entraram os comerciais, Sérgio Bittencourt, amigo dos militares, veio falar comigo; disse que havia entendido perfeitamente de quem eu tinha falado e que iria me denunciar no ar. Morri de medo, claro, mas ele não cumpriu a ameaça. Deve ter percebido que não tinha uma base segura para me dedurar.

Outra coisa inventada por Flávio foi dar "tarefas" para o júri — tudo combinado antes, claro. A de Leila foi desfilar, de biquíni, pela avenida Rio Branco, num carro conversível, numa segunda-feira ao meio-dia, missão que ela cumpriu sem nenhum constrangimento. A minha foi levar ao programa um ministro, um embaixador e um governador. Pesquisei e descobri que quem ocupa um desses três cargos guarda o título, e levei o então governador Negrão de Lima, que já havia sido ministro e embaixador. Trabalhei na televisão durante dois anos; saí quando o programa começou a acabar.

Lançamento do filme de Samuel, *Pastores da desordem*, no Festival de Veneza de 67.

Ao lado, com Samuca e Pinky, no
berço, e no carro com Pinky. Acima,
Danuza e Pinky, Pinky e Rita.

Samuca: pequeno, antes de ir morar na França; ao lado, no dia em que se casou; e com o filho, Felipe.

Bruno: em Salvador, com Danuza,
no início dos anos 70, e em
Los Angeles, na década de 90.

No colo de Jardel Filho, durante as filmagens de *Terra em transe*, de Glauber Rocha.

Na viagem à China, em 59,
com Mao e ao desembarcar.

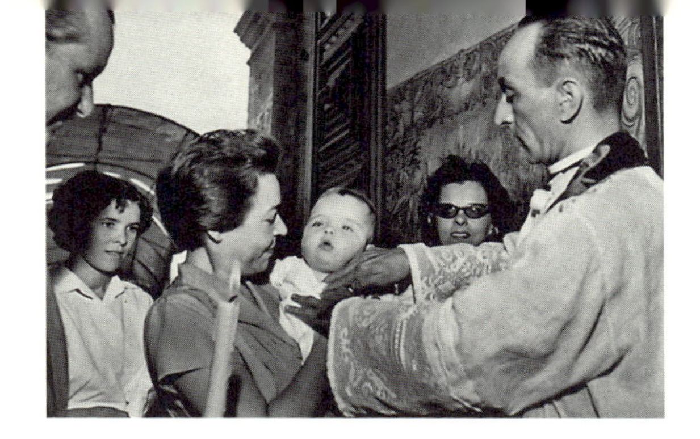

A madrinha Alzira Vargas com Pinky, no batizado; Samuca com Jango e Brizola, em parada de Sete de Setembro; e Danuza e Samuel com d. Sara e Juscelino numa recepção.

Com Leila Diniz, em 1970; com Otto Lara Resende e Maurício Bebiano, na boate Le Bateau, no fim dos anos 60; e, em 58, com Vinicius de Moraes e Carlos Thiré, no bar Cangaceiro.

Com o cineasta Roberto Rossellini, em 1958, e com Rubem Braga, que finge lhe fazer uma declaração de amor, no início dos anos 50. Ao lado, durante o Carnaval carioca de 58, com Rock Hudson e Kim Novak, entre outros.

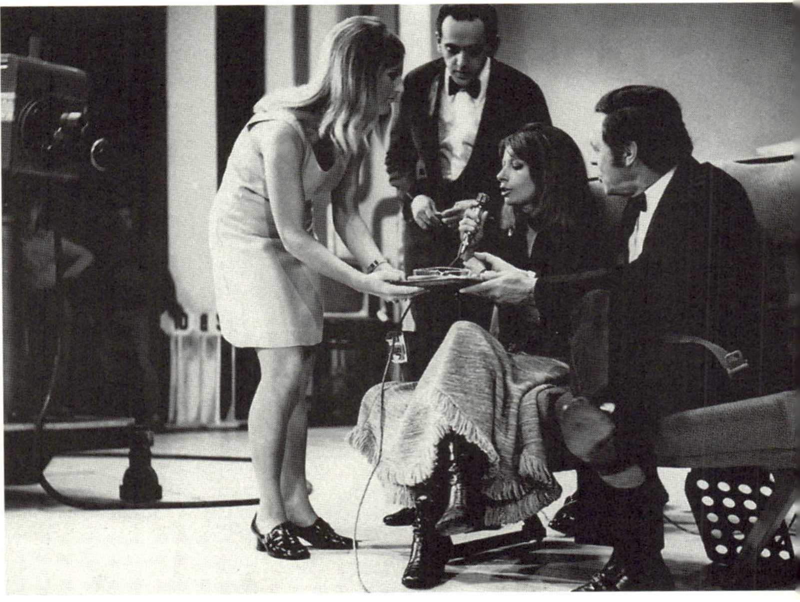

Ao lado, em reportagens de moda (1969 e 1966); acima, no programa de Flávio Cavalcanti, na TV Tupi, nos anos 70.

No seu aniversário
de 1982, na boate
Hippopotamus.

Apesar da barra política — e talvez por isso mesmo —, esse foi um momento de ouro da vida noturna do Rio. Quando saíamos do programa, íamos diretamente para o Flag, piano-bar que fez história na cidade. Luis Carlos Vinhas tocava piano; Rose, a famosa cantora das noites cariocas que sabia e dava palpites sobre os romances dos habitués, se apresentava, e a turma da moda — a do *Pasquim* — estava lá toda noite; quando não estava presa, é óbvio. O mais assíduo era Tarso de Castro, mas apareciam também Flávio Rangel, Millôr, Jaguar. Romances começavam e terminavam ao som de "Madalena", grande sucesso de Ivan Lins na época, e o uísque que se tomava era o Passport. O Flag não era o tipo de lugar onde se fumasse maconha, mas que muitos cheiravam cocaína lá, cheiravam. Por isso as noites acabavam tão tarde — para quem não sabe, cocaína tira o sono.

Quando o *Pasquim* surgiu, foi um arraso: em cinco semanas atingiu uma circulação enorme, e suas entrevistas fizeram história. Era assim: a turma se juntava em torno do entrevistado, com a bebida rolando solta. As inibições se perdiam, e as entrevistas eram passadas da fita para o papel, sem edição nem nenhum tipo de censura. Um sucesso total.

Era o tempo da liberação sexual, a época da pílula, do "é proibido proibir", e as mulheres queriam mostrar que eram livres — e mostravam mesmo. Bebia-se muito. Eu sempre gostei de beber, até mesmo — descobri bem mais tarde — para enfrentar minha timidez. Mas bebo mal: como sou ansiosa, bebo depressa demais, e por isso a noite para mim termina cedo. Mas, acontecesse o que acontecesse — e muita coisa acontecia —, eu só dormia na minha casa, mesmo chegando às dez horas da manhã. Minha casa sempre foi meu porto seguro, só nela me sinto tranqüila, dona da minha vida, coisa que prezo acima de tudo. Íamos ao Antonio's sozinhas, pois sabíamos que lá encontraríamos todos os amigos, e, se não encontrássemos, não havia nada de mais em ficar no bar tomando uma bebida enquanto eles não chegavam, porque eles chegavam, sempre. Lembro de duas histórias bem da época, e muito engraçadas.

Certa vez, uma amiga ia descendo a escada de uma boate, o Jirau, quando cruzou com um americano alto e forte que a segurou pela cintura e a levou de volta para dentro. Passaram a noite dançando, e na manhã seguinte ela acordou no Anexo do Copacabana Palace. Tentando não fazer nenhum barulho, se vestiu e se mandou. Mais tarde recebeu o telefonema de uma amiga perguntando: "E que tal o Warren Beatty?". De tão torta, ela não percebeu que era ele, e até hoje só falta chorar quando lembra. Para quem não sabe, o rapaz tinha uma fama muito, digamos, positiva no quesito cama.

A outra: uma amiga que gostava muito de beber foi ao Antonio's e na manhã seguinte acordou num motel, sozinha. Quebrou a cabeça, mas não conseguiu lembrar o que tinha acontecido, com quem havia terminado a noite. Como se sabe, algumas ressacas são acompanhadas de total amnésia, e a pessoa não se lembra do que fez na véspera — santa amnésia. Ela ligou para a portaria, pediu um táxi, e foi informada: o cavalheiro já providenciara o táxi, que estava pago e esperando por ela. No caminho ela continuou fazendo todos os esforços para lembrar, e nada. Em casa, tomou um chuveiro, escureceu o quarto, ligou o ar-condicionado e pegou o jornal para ler. Quando viu a foto do colunista social, fez-se a luz: tinha sido ele. Ela caiu na gargalhada, e depois contou para todo mundo, claro. E, se não contasse, qual a graça?

E havia os carnavais. Quinze dias antes começavam a chegar minhas fantasias, uma para cada baile, que iam sendo acomodadas nos sofás e poltronas — não havia um lugar da casa onde se pudesse sentar. Ia-se a todas as festas, desde o pré-Carnaval, como a do Vermelho e Preto, do Flamengo, o Baile do Popeye, no Marimbás, o do Havaí, no Iate Clube, o do Pão de Açúcar, no Morro da Urca — o mais lindo de todos —, e o Caju-Amigo, geralmente à tarde, organizado por Carlinhos Niemeyer, aquele que tinha um cinejornal ultrafamoso, o *Canal 100*, que fez história pelas notícias sobre futebol. No baile de Carlinhos a bebida oficial era um tipo de caipirinha de caju. Dançava-se e ria-se a tarde inteira; depois, um descansinho rápido em casa, e à noite, mais Carnaval. Quem não perdia o Caju era o primo de Carlinhos, Oscar, um carnavalesco daqueles. E ainda saíamos na Banda de Ipanema, sambando pelas ruas vestidos como quiséssemos. Rui Solberg, figurinha carimbada da cidade, ia de malandro da Lapa: terno branco, gravata, sapato de duas cores e um chapéu de lado, bem no espírito da coisa. Como agüentávamos? Como podíamos ter tanta saúde? Pois agüentávamos e tínhamos. Só como informação histórica: existia também o famoso Baile da Balança, onde moças de família não entravam. Começava às onze da manhã, terminava às cinco da tarde, e era freqüentado exclusivamente pela turma da Justiça: advogados, desembargadores, juízes.

Nesse tempo, sem nenhum problema financeiro, durante dois verões seguidos aluguei uma casa enorme, com uma varanda cheia de redes, no bairro da Pituba, em Salvador, e contratei duas empregadas baianas, uma arrumadeira e uma fantástica cozinheira. Um dia entrei na cozinha e encontrei cinco garotas que não conhecia. Perguntei o que faziam lá, e a cozinheira explicou, candidamente: uma ia descascar o camarão, a outra ia catar siri, a terceira ralar o coco, as outras duas não lembro mais. Imprescindíveis numa casa, como se vê.

Salvador, na época, era o próprio paraíso. Como ainda não estava na moda, quase não se viam turistas por ali. Nossos únicos problemas eram: escolher a que praia ir e a comida — baiana, é claro — do almoço e do jantar. Passavam pela nossa porta os moleques oferecendo camarão, peixe, lagosta, lambretas, tudo fresco, saído do mar, e as frutas: cirigüela, caju, manga, e outras cujos nomes esqueci e que só existem lá. Andávamos descalços, não saíamos de casa, e quem quisesse que fosse nos ver — e todo mundo aparecia; foi nessa época que conheci Antonio Carlos Magalhães, magro, de cabelos pretos e bigodinho, e sempre galante. Fui ser amiga dele muito mais tarde, e tenho até hoje um carinho especial por esse político tão controverso mas tão leal a seus amigos.

Os baianos — vizinhos, na maior parte, e de várias classes sociais — nos recebiam de braços abertos. Quando começavam as festas de largo, íamos atrás, dançando e cantando, na maior alegria. Aparecíamos às vezes no Mercado Modelo, onde ficamos amigos de Chocolate, dublê de barraqueiro e compositor, que não saía de nossa casa. O lanche costumava ser uma caranguejada. Em todas as casas, até nas mais simples, a fartura era grande, e não havia dia em que não entrasse uma vizinha trazendo um bolo ou uns biscoitinhos feitos por ela mesma. Numa das temporadas Bruno ficou em Salvador mais um mês, hospedado na casa de uma família modesta, que já tinha dez filhos. Logo depois uma das filhas fugiu com o namorado para o Rio, e lá fui eu a Vila Isabel, onde ela estava, arranjar as coisas. E arranjei: os dois acabaram casando.

As portas da casa viviam abertas, e os novos amigos entravam e saíam quando queriam. A Bahia ainda não tinha sido invadida, não havia marketing, e, se não me falha a memória, foram os últimos tempos em que não tive — não tivemos — problemas de nenhuma natureza. Só Bruno, coitado, uma vez se deu mal: pisou num ouriço; quem tirou os espinhos, um a um, com um alfinete, foi Gesse, Gesse dos Deuses, que era casada com Vinicius. Eles moravam em Itapoã, mas, como quando Vinicius estava apaixonado não via ninguém, pouco nos encontramos. Não tínhamos nenhum tipo de vida noturna, tudo acontecia na varanda da nossa casa. Às vezes, de farra, íamos ao Tabaris, cabaré igualzinho aos dos livros de Jorge Amado.

Em janeiro de 71, mal saídos da cadeia, Tarso de Castro e Luiz Carlos Maciel foram para Salvador. Tarso ficou na minha casa, e Maciel alugou um apartamento por perto. Maciel era o guru da contracultura, e Tarso, um dos fundadores do *Pasquim*, a pessoa mais inteligente, divertida e louca, em todos os sentidos, que pode existir. Bebia o dia inteiro em quantidades industriais, mas jamais alguém o viu alterado. Nessa época, com muitos jornalistas do *Pasquim* presos, formou-se um mutirão em que pessoas ligadas ao pensamento do jornal, mas poucas jornalistas de fato, escreviam artigos ou pequenas dicas para preencher os espaços vazios. Naquela temporada, Caetano Veloso, que estava no exílio em Londres, conseguiu, através de Bethânia, uma autorização especial para vir ao Brasil festejar o aniversário de casamento de seus pais, no dia 7 de janeiro; passou uns dias e logo voltou. Foi então que deu uma entrevista ao *Pasquim*, na casa que eu havia alugado. Estávamos — Tarso, Maciel, Caetano, as crianças e eu — em cima de uma cama gigantesca; a entrevista foi registrada num gravadorzinho de pilha, e todos tivemos direito a fazer as perguntas que quiséssemos.

Foi nessa época que em Mar Grande, uma praia de Itaparica, eu e Tarso resolvemos tomar banho de mar nus; o dia estava tão lindo, o céu tão azul, a brisa tão fresca, que seria um absurdo se não o fizéssemos. Mas a Bahia ainda não era tão moderna, e deu manchete num jornal de Salvador. Pensa que a vida mudou? Nem um pingo. Continuamos a fazer as mesmas coisas, e até repetimos muitas vezes aquele banho de mar tão maravilhoso.

O Rio sempre foi de turmas: houve a da bossa nova, depois a do cinema novo, mais tarde a do *Pasquim*; os componentes dessas turmas andavam em bando e faziam o maior sucesso com as mocinhas. Mas as mulheres babavam mesmo era por Tarso. Quando Candice Bergen chegou ao Rio, Samuel foi esperá-la no aeroporto — eles eram grandes amigos desde Paris. Candice e Tarso foram apresentados por Samuel no hall do hotel Méridien; Tarso se ajoelhou diante da atriz e lhe fez uma declaração de amor em português — aos gritos. Ela não entendeu o que ele disse, mas caiu de amores, e foi ficando, ficando, ficando. Incorporou-se à vida carioca, não saía do Antonio's, e ficou amiga de todo mundo.

Mas Tarso não era homem de namoros sérios; era inquieto demais para isso. Um dia Candice achou que ele estava precisando ir ao dentista; descobriu o endereço de um e marcou hora; Tarso não foi, claro. Ela então passou a levá-lo, e acredite quem quiser: uma das mulheres mais lindas do mundo, um sucesso no cinema, ficava lendo uma revista na sala de espera de um dentista na avenida Nossa Senhora de Copacabana enquanto o namorado tratava dos dentes. É o tal do amor.

Mas, vamos fazer justiça, as mulheres não se apaixonavam por Tarso em vão. Além de sua fama de bom de cama, que correu do Oiapoque ao Chuí, quando ele estava com uma mulher — mesmo que saísse com ela uma única vez —, tratava-a como se ela fosse o grande amor de sua vida; fazia carinhos o tempo todo, cochichava segredinhos e era incapaz de olhar para qualquer outra que surgisse, ainda que fosse a mais maravilhosa deste mundo. É bem possível que, esperto e mulherengo como era, mandasse um recado para a outra, combinando de encontrá-la às cinco da manhã, quando já teria deixado a primeira — sua disposição para o esporte era lendária. Àquela que estivesse com ele entregava o cigarro já aceso, servia a bebida, era um príncipe para ela — o que não queria dizer que fosse reaparecer algum outro dia em sua vida.

Tarso era bem louco; uma vez escreveu no *Pasquim* um artigo imenso, de página inteira, cujo texto era mais ou menos assim: Millôr Fernandes é bicha, Martha Alencar é bicha, seu marido, Hugo Carvana, é bicha, Paulo Francis é bicha, Pedro Álvares Cabral é bicha, Chico é bicha, Gal é bicha, Ziraldo é bicha, Caratinga é bicha — e por aí foi ele, homenageando os amigos. Mais para o final, dizia: "Você é bicha; o leitor, todos os leitores são bichas", e "Este parágrafo é bicha". De outra vez, apaixonado — e provavelmente sem condições de escrever —, encheu a página, do princípio ao fim, repetindo: "Eu te amo, eu te amo, eu te amo". Esse era Tarso — também.

Um dia apareceu no Rio, inesperadamente, uma moça linda, educada e simpática; chamava-se Bárbara Oppenheimer e era mulher de Tarso. Nunca havia passado pela cabeça de ninguém, nem num momento de total alucinação, que Tarso fosse casado — mas ele era. As noites agora contavam com a presença de Bárbara, e Tarso virou um rapaz bem-comportado, mas continuou agitado, levantando toda hora para conversar com alguém de outra mesa, já que não conseguia ficar quieto. Alguma coisa tinha que acontecer, e aconteceu: Paulo Francis se apaixonou por Bárbara. Todo mundo sabia, mas ninguém dizia nada, nem ele. Pelo que se falou — e aquela turma falava muito —, não chegaram a ter um caso. Um dia, tão silenciosamente como chegou, Bárbara voltou para o Rio

Grande do Sul, de onde tinha vindo, e nunca mais se falou dela; foi como se nunca tivesse existido.

Os namoros de Paulo Francis eram longos, sempre com lindas mulheres; depois que o namoro acabava, passava a fazer parte do currículo da moça o item "Foi namorada do Francis", o que dava status. Gilda Grillo foi uma delas, Lena Chaves outra, e, como na época as mulheres eram muito indiscretas, dizia-se que Francis só namorava ao som de óperas. Sofisticado como ele era, devia ser verdade.

Eu tinha uma amiga que era apaixonada por um senador cassado; o namoro ia e vinha, ele desaparecendo, ela procurando, essas coisas. Um dia ela me ligou e propôs irmos comer uma feijoada no Sereia do Leme, aonde ele costumava ir aos sábados. Fomos, e não deu outra: lá estava ele com um grupo de amigos. Claro que nos incorporamos ao grupo, e pelas oito da noite ela me disse: "Nos chame para tomar um drinque em sua casa antes que ele suma", coisa que fiz imediatamente. Fomos, os três; tirei o gelo, abri uma garrafa de uísque e disse que ia sair, que eles ficassem à vontade e, quando fossem embora, batessem a porta. Cheguei de madrugada e fui dormir. Ao acordar, na manhã seguinte, fui à cozinha, e qual não foi minha surpresa quando vi os dois tomando sol na varanda, ela de calcinha e sutiã, ele de cuecas, uma cerveja na mão. Eles haviam aberto a porta do quarto de um de meus filhos, que tinha ido passar o fim de semana fora, felizmente, e dormiram, na paz de Deus. A história fica mais engraçada quando se sabe que anos depois o cavalheiro em questão foi eleito governador do estado — e eu não digo o nome dele nem sob tortura.

Pouco depois, já em 72, fui morar com meus filhos num sensacional apartamento triplex na avenida Niemeyer, debruçado sobre o mar. Foi então que conheci Renato Machado, que veio a ser meu terceiro marido.

8

Renato estava cobrindo as férias de Zózimo Barroso do Amaral, no *Jornal do Brasil*, e me ligou para saber se eu tinha alguma novidade para a coluna. Pois bem: papo vai, papo vem, ele me convidou para jantar. Veio me buscar em casa e ficou horrorizado ao ver meu som, que era o que podia haver de pior. No dia seguinte chegou com um aparelho novinho, semiportátil, comprado na Sears — a prestação, fui saber mais tarde. Não resisti ao gesto, claro. Tivemos um romance instantâneo e fulminante, e dois meses depois ele foi morar comigo, o que naquele tempo significava casar.

A essa altura as crianças estavam começando a dar problemas, os problemas normais que dão os adolescentes normais. Se tivessem chegado à adolescência dez anos antes, provavelmente teriam caído na luta armada, mas a época era das drogas. Samuca chegou a ser internado numa clínica; Bruno também não deixou barato. Num determinado momento, resolvemos, Samuel e eu, exilar Bruno por uns tempos; ele ficou um mês no colégio Les Roches, na Suíça, em seguida foi para Paris, onde se hospedou na casa de Violeta, e depois passou uma longa temporada na Argélia, em casa de Miguel Arraes. Ele e Lula, filho de Miguel que é cientista e mora em Recife, são amigos até hoje, e um é padrinho do filho do outro. Mas as drogas: bem, tudo passa, e passou, só que na hora você pensa que vai enlouquecer.

A mim, felizmente, a droga não pegou; dependendo do namorado da época — e do seu poder de persuasão —, acontecia às vezes de eu entrar numas de cocaína, mas, como eles eram consumidores eventuais, nunca cheguei a mergulhar de cabeça nesse universo, até porque namoros com drogados não duram muito. Mas me lembro de um grupo uma vez, em minha casa, que me pediu um livro para esticar as fileiras; procurei — e achei — um de capa preta. Era uma Bíblia, que tenho até hoje, amém. Tentei a maconha, mas odiei — e odeio até hoje. Ficar feito uma débil mental, rindo de nada, realmente não é uma situação que me seduza.

Renato trabalhava no *Jornal do Brasil*: era *copy desk* e fazia um bico no esporte, para ganhar um dinheirinho a mais. Além de muito inteligente, era culto e tinha uma memória prodigiosa; qualquer coisa que eu quisesse saber — ou lembrar —, bastava perguntar a ele. Exemplo: "Renato, em que ano foi mesmo a erupção do Vesúvio que soterrou Pompéia?". E vinha a resposta, com to-dos os detalhes. Ou: "Renato, onde foi mesmo que comemos aquele pato maravilhoso?". E lá vinha a descrição do pato, do restaurante e até do modo como eu estava vestida.

Ele conhecia história, geografia, música clássica, balé, entendia de tudo. Nunca vou esquecer de uns dias que passamos em Roma. Fomos para o Forum Romano, debaixo de um sol quentíssimo, Renato com um livrinho na mão, examinando cada pedrinha, cada caquinho de ruína, lendo o que o livro dizia de cada imperador e me dando aulas de história. Na Grécia foi a mesma coisa, e hoje, como já prescreveu, posso confessar: era duro, às vezes, ter um marido tão culto e tão interessado em história, mas tudo pelo amor. Ele ainda não entendia de comidas, e foi aprendendo comigo os prazeres da mesa. Não que eu fosse uma grande entendedora, mas sempre gostei de comer, e para Renato, quando nos conhecemos, o máximo da gastronomia era ir à Confeitaria Colombo saborear uma coxinha de galinha com um guaraná que nem era o da Antarctica.

O conhecimento dos vinhos, ele também deve, indiretamente, a mim. Um dia, em Paris, resolvi ir às compras — sozinha, pois fazer compras com homem do lado é impensável. Renato ficou sem ter o que fazer, entrou numa livraria, se interessou por um livro sobre vinhos e dedicou-se com competência. Hoje é um grande conhecedor, viaja pelo mundo pesquisando para seus programas de televisão, e publicou recentemente um livro em que fala tudo sobre vinhos. Faz pouco tempo, ele veio almoçar em casa e trouxe duas garrafas; abriu, deixou respirar, cheirou, provou e disse que um deles tinha sabor de maracujá fumê e talvez um toque de fumaça de espingarda de espoleta. Que fique bem claro: fui casada com Renato antes de ele se interessar por vinhos. Fomos muito apaixonados e, durante o tempo em que estivemos juntos, muito felizes.

Nosso namoro foi praticamente a três: nós dois e Samuel. Renato saía tarde do jornal e ia à minha casa me pegar para jantar; Samuel chegava para ver as crianças, e acabávamos os três na sala, tomando um drinque. Como o dinheiro era curto, eu e Renato jantávamos quase toda noite na Churrascaria Carreta: picanha, farofa, batata frita, um chopinho, e pronto. Era bem bom.

De novo, precisava trabalhar; já estava sem dinheiro para manter o triplex da Niemeyer. Renato dividia as despesas comigo, mas mesmo assim estava difícil. Mudamos, então, para uma casinha em Santa Teresa, e, para equilibrar as finanças, hipotequei o apartamento e em seguida aluguei. A hipoteca era por volta de cem mil qualquer coisa, para pagamento em quinze anos, mas três meses depois eu já estava devendo trezentos mil. Não sabia que o saldo devedor só iria começar a cair na metade do prazo, isto é, em sete anos e meio. A situação me parecia sem saída — e era. Nessa época conheci o então diretor da companhia aérea portuguesa TAP, que me chamou para trabalhar com ele. Eu faria o embarque e desembarque dos passageiros VIPS no aeroporto. O salário não era lá essas coisas, mas em compensação eu, como todos os demais funcionários, teria passagens para o mundo inteiro, de graça, quantas quisesse. Para mim, o paraíso sobre a Terra.

Quero aqui abrir um parêntesis: sempre trabalhei no que apareceu, sem jamais achar que eu era muito importante para o que me ofereciam, ou que o salário que ia ganhar não era tão bom assim. Se estava sem fazer nada, topava qualquer trabalho, e acho que essa maneira de ver as coisas me ajudou muito na vida. Se tivesse nascido rica, seria muito infeliz; não tenho essa vocação, já disse.

Os aviões saíam por volta das onze da noite, chegavam às seis da manhã, e lá estava eu, de cara alegre, bem-vestida e bem penteada, ajudando os passageiros VIPS no que fosse possível; e viajando muito, claro. Houve um ano em que passei trinta e nove fins de semana em Paris; ia ver Bruno, que tinha voltado da Argélia para estudar. Eu embarcava na noite de sexta-feira, no sábado de manhã já estava lá, pegava o avião de volta no domingo e chegava na segunda, prontinha para trabalhar. Quanta disposição.

Com as passagens da TAP, eu e Renato corremos o mundo. Economizando no que podíamos, fomos ao Japão (e não comemos sushi, de que nunca tínhamos ouvido falar), a Hong Kong, à Tailândia, ao Irã, onde não comemos caviar fresco porque faltava dinheiro, e várias vezes à Europa. Nosso orçamento era de cem dólares por dia, cinqüenta de cada um, para pagar inclusive o hotel. Só não viajamos mais porque tínhamos de trabalhar. A vida estava boa: ganhávamos pouco, víamos simplesmente e éramos felizes. Mas veio a Revolução dos Cravos, meu amigo Joaquim de Carvalho foi demitido da

TAP — e eu junto —, e mais uma vez fiquei sem saber o que fazer da vida.

Enquanto fomos casados, víamos pouca gente, só mesmo os amigos mais chegados. Entre eles Lily, hoje Marinho, e seu então marido Horácio de Carvalho. Lily, que chegou ao Brasil muito mocinha, aos dezesseis ou dezessete anos, nunca perdeu seu sotaque; era — e é, apesar de tudo o que lhe aconteceu — extremamente alegre e divertida, uma mulher deslumbrante. E tem uma qualidade rara: faz a pessoa que está perto dela se sentir sempre a mais feliz do mundo. Um privilégio, ser amiga de Lily. Eu tinha sido namorada do único filho do casal, Horacinho, que morreu num acidente de carro em 68. Quando isso aconteceu, eles se fecharam para o mundo, e foi aí que ficamos muito mais próximos; nos encontrávamos freqüentemente, eu tentando de tudo para aliviar a dor deles, como se fosse possível. Passávamos juntos todos os natais, no Rio ou na casa de Petrópolis.

Num desses natais, já tarde da noite, Lily e Horácio me chamaram para conversar na biblioteca. Com a maior delicadeza, disseram que, depois da perda de Horacinho, seus herdeiros passaram a ser os amigos, e queriam me dar um presente: um apartamento, que eu escolhesse o que quisesse. Quase desmaiei. Nunca me acontecera nada parecido. Como agradecer um gesto daqueles? Como recusar? Não sabia, e não sei até hoje. Só sei que guardo uma profunda gratidão pelos dois, e considero Lily e Horácio, que já morreu, das pessoas melhores e mais generosas que jamais conheci. Dias depois do oferecimento, um portador chegou na minha casa com uma quantia que deu para pagar a hipoteca — portanto, salvar meu apartamento — e comprar outro, na avenida Atlântica. Acho que pouca gente teve amigos como Lily e Horácio.

Não esqueço do dia em que Manoel, empregado de confiança deles, me telefonou dizendo: "Venha logo para cá, dona Danuza, doutor Horácio morreu". Cheguei correndo, Horácio, morto, ainda estava de pijama na cama. Fui eu quem vesti Lily, fiz com que calçasse as meias, os sapatos, pois ela não poderia ficar vestida como estava mas não se dava conta disso. O velório foi no apartamento onde eles moravam, na avenida Atlântica, na manhã seguinte, e a primeira pessoa a chegar foi dr. Roberto Marinho.

A essa altura meu casamento estava periclitante. Apesar de gostar muito de mim, Renato não podia — e continua sem poder — ver um rabo-de-saia, o que para mim não dá. Como me empenho muito nas minhas relações, me acho no direito de exigir o mesmo. O casamento, que durou quatro anos, acabou com sofrimento, ao som da canção que Elis cantava, "Pois é", de Tom e Chico, maravilhosa. No começo foi difícil, mas depois de algum tempo ficamos amigos. E somos, até hoje. Uma justiça tem que ser feita: Renato, que era filho único e nunca havia sido casado, na época dos problemas dos meus filhos agüentou o tranco e me ajudou em tudo o que pôde. Se não fez mais, é porque não sabia.

Meus três casamentos foram muito bons, durante um tempo. Por isso, apesar de estar solteira há tantos anos, sou uma partidária fervorosa de viver junto com o homem a quem se ama, o que considero das melhores coisas da vida. Mas sempre me senti no direito de fazer as malas quando a felicidade dava sinais de estar acabando. Não vejo nenhuma razão para que a infelicidade deva ser cultivada e mantida.

Estava solteira — de novo — e sem trabalho — de novo. Enquanto pensava no que ia fazer, comecei a correr na praia. Morava no Leme e todos os dias, às seis da manhã, pontualmente, descia para encontrar meu amigo Yllen Kerr e mais uma turma; corria quatro quilômetros, com sol ou com chuva. Yllen era uma pessoa incrível, de múltiplos talentos: jornalista, fotógrafo, fazia gravuras, desenhava, foi pára-quedista, andava de moto, fazia pesca submarina, e detalhe: fazia tudo bem. Virei uma atleta, dormia cedo, vivia do aluguel do apartamento da Niemeyer e, tirando a falta de dinheiro, estava muito feliz.

Um dia recebi de Bruno uma comunicação, praticamente: ele queria largar tudo e ir para o Afeganistão. Mas por que o Afeganistão? Porque era a onda do momento. Samuel ficou com os cabelos em pé, disse que de maneira alguma. Já eu achei que o Afeganistão correspondia à Paris da minha adolescência, que ele devia ir, sim. Criado o impasse, Samuel impôs uma condição: que Bruno viesse ao Rio antes de começar sua aventura. Bruno, que na época tinha dezenove anos, veio — sempre pela santa TAP —, e ficou na minha casa, na praia de Copacabana. Era abril, maio, o tempo maravilhoso; Bruno começou a ir à praia, aprendeu a surfar, gostou, e falava cada vez menos da viagem. Um dia entrou no meu quarto de manhã, com os jornais na mão, e disse: "O Afeganistão dançou". Estávamos em 79, os russos tinham invadido o país, as fronteiras estavam fechadas e gente sendo decapitada. Nunca mais se falou disso; só que Bruno não fazia nada, e matriculá-lo num colégio brasileiro, depois da liberdade que ele vivera em Paris, estava fora de questão, tais os hábitos que havia adquirido. E nem pensar em obrigar um filho da idade dele a qualquer coisa, mas era preciso fazer algo. Tive uma idéia: telefonei para Cacá Diegues, que se preparava para filmar

Bye Bye Brasil. Implorei que levasse Bruno, nem que fosse para varrer o set; eu pagaria a viagem e o salário (nem precisou), para ver se ele encontrava um rumo na vida. Pois Bruno foi, fez carreira no cinema, e hoje é um distribuidor importante no país. E, quanto mais o tempo passa, mais próximos estamos um do outro, o que me enche de felicidade.

Foi nessa época que Nara e Cacá se separaram. Sugeri que nós duas fizéssemos uma viagem, para ela refrescar a cabeça. Fomos para o Marrocos e viajamos pelo interior do país até Ouarzazate, já nas portas do deserto. De lá partimos para a Grécia, onde fizemos um inesquecível cruzeiro pelas mais lindas ilhas, com direito a uns dias em Istambul. Comíamos queijo feta, mussaca, azeitonas, pão embebido em azeite e bebíamos *ouzo* — eu, já que Nara não tocava em álcool. O dinheiro era curto, mas o azul do mar Egeu, o mais deslumbrante do mundo. Nós nos aproximamos como nunca nessa viagem.

Muitos anos mais tarde, Pinky, Bruno e eu fizemos também uma viagem maravilhosa para o Marrocos: como é bom viajar com filho. Quando chegamos a Zagora, já quase no deserto, Bruno e eu teríamos nos embrenhado pelas areias e nos integrado a uma caravana qualquer, um pouco como no filme *O céu que nos protege*, de Bertolucci, se não fosse Pinky, que se mostrou a única com juízo no grupo. Voltamos cheios de tristeza, mas o deserto ainda me fascina, e um dia ainda vou me perder por lá.

Voltando: um dia o telefone tocou: era Régine, dona das famosas boates Regine's, me convidando para ser o que na época se chamava *directrice* da sua casa noturna no Rio, no subsolo do hotel Méridien.

Era uma grana altíssima, mas eu estava vivendo uma vida tão saudável que fiquei apavorada. Trabalhar numa boate me soava a entrar no *bas-fond*, aquele de filme francês. Todos os clichês que envolvem a noite vieram à minha cabeça, mas não só a idéia de uma novidade falou mais alto, como também foi a única coisa que pintou. Aceitei. Mas a gente nunca faz as coisas por um motivo só: tirando a fase do esporte, eu estava habituada, desde os meus catorze anos, a sair toda santa noite, com lua ou sem. Casada com Samuel, acho que nunca ficamos uma noite em casa: eu grávida, com filho acabado de nascer, e depois em Paris, não me lembro — sinceramente não me lembro — de ter ficado uma só noite vendo televisão, lendo um livro, dormindo cedo.

Mas não era só eu: nessas épocas meio frenéticas, era na noite que as pessoas se encontravam, se viam, pelo menos aquelas com quem eu me relacionava. Saía-se, e depois havia a famosa esticada em outro lugar que ia até a madrugada. Tentei viver uma vida sossegada com Antônio Maria, vivi uma vida mais sossegada quando estive casada com Renato, e, mesmo com ele, o jantar era sempre na rua, mas, depois do jantar, casa. A não ser quando tinha uma festa, o que, aliás, acontecia com uma freqüência espantosa.

Só para explicar: a boate Regine's era a mais chique do Rio, e havia um grupo que não saía de lá; dele faziam parte o suíço Michel Frank e o cabeleireiro do hotel Méridien, Georges Khour. Esse grupo se drogava muito, e num certo fim de noite foram para a casa de um deles, levando a jovem Cláudia Lessin Rodrigues, que foi espancada violentamente e estrangulada. Transportaram o corpo para a avenida Niemeyer, de onde o atiraram ao mar — só que ele parou nas pedras e terminou sendo descoberto por um pescador. O crime, ocorrido em 77, foi um grande escândalo (Cláudia era irmã de Márcia Rodrigues, atriz do filme *Garota de Ipanema*), e a boate se esvaziou; acabou, praticamente. De Paris, Régine se pôs a procurar alguém que pudesse ressuscitar a casa e, segundo ela, depois de muitas pesquisas chegou ao meu nome. Começava então mais uma etapa na minha vida.

Larguei minhas corridas matinais e comecei a trabalhar à noite. Chegava às onze e ficava enquanto houvesse movimento. No início foi difícil, e eu nem sabia o que fazer para que a boate animasse. Lembro de um dos primeiros sábados: era meia-noite e não havia uma alma no Regine's; fui embora me sentindo um fracasso. O que é que eu devia fazer, o que podia fazer?

O Regine's era uma boate muito elegante, e não se sabia muito bem se era um *club privé* ou sei lá o quê, por isso muita gente ficava inibida, com receio de chegar lá e ser barrada. Como eu conhecia todo mundo — dos atletas de praia ao *society*, da esquerda à direita, dos atores ao povo da música, mais o do cinema novo, mais o da bossa nova, mais todos os que passaram pelo programa de Flávio Cavalcanti, mais quem chegasse —, quando as pessoas eram barradas, mandavam me chamar e eu botava para dentro. E a boate começou a animar.

Comecei a inventar, também. O hit na época era a novela *Dancin' Days*, e combinei com o autor, meu amigo Gilberto Braga, de promover uma noite dedicada aos atores da novela. Veio todo o elenco, encabeçado por Sônia Braga, no seu auge. Foi um grande acontecimento, noticiado em todos os jornais. Aí inventei de comemorar as vitórias no futebol. Vinham Doval, Júnior, Carpeggiani, Cláudio Adão, Nunes, Paulo César Caju — vestidos com a camiseta do clube —, e mais um monte de torcedores trazendo bandeiras; quando eles entravam, tocava o hino do clube — o sucesso aumentava, e o Regine's se democratizava. Eu descobria o dia do aniversário das pessoas mais badaladas e oferecia uma mesa — sempre noticiando antes nas colunas. Mais animação. Lembro de um réveillon em que o discotecário, Amândio, rompeu a meia-noite com a música "Tanto mar", de Chico. Isso foi pouco depois da Revolução dos Cravos, em Portugal, e tinha tudo a ver com o momento pelo qual estávamos passando. Houve também uma festa (mas isso quando eu ainda não trabalhava no Regine's), celebrando os *gay twenties*, os loucos anos 20, à qual compareceu JK, que já voltara do exílio. Ele estava triste, deprimido, porque não havia sido eleito para a Academia Brasileira de Letras — vê se uma coisa dessas podia acontecer com o homem que construiu Brasília.

Mas Régine é, reconhecidamente, uma pessoa difícil, e uma madrugada, mesmo feliz da vida com a boate, me ligou e foi menos gentil do que deveria ser. Eu, que também não sou fácil, pedi demissão na hora. Houve idas e vindas, seu braço-direito, o italiano Luciano, veio ao Rio para me convencer a reconsiderar, mas eu já havia tomado minha decisão. Peguei um avião para Paris, onde fiquei um mês; de lá fui para Nova York, onde passei outro mês, e voltei prontinha para recomeçar. Como sempre, aliás.

Eu ainda trabalhava no Regine's quando, uma tarde, chegou a notícia: Yllen tinha vedado todas as portas e janelas de sua casa, caprichosamente, como tudo o que fazia. Vestiu terno e gravata, deitou-se na cama e abriu o gás. Não deixou nenhum bilhete, nenhuma explicação, nada.

Durante a viagem a Paris, encontrei Ricardo Amaral, que recentemente havia inaugurado uma boate no Rio, o Hippopotamus. Era mais ou menos como o Regine's, só que era preciso pagar para ter a carteirinha de sócio. O Hippo não estava fazendo grande sucesso, e aconteceu o que era previsível: Ricardo me convidou para trabalhar com ele, e aceitei. Meu salário seria o equivalente, em moeda brasileira, a cinco mil dólares, mas dois meses depois houve uma maxidesvalorização, o que diminuiu consideravelmente meus ganhos.

O sucesso veio rápido e bombástico. A rotina era a mesma, só que as noites do Hippopotamus eram mais longas, já que pessoas saíam, outras chegavam, e era normal ver o dia clareando. E, como o acesso à boate era bem mais fácil — em plena Ipanema, e não no Leme, onde ficava o Regine's —, havia os que passavam para tomar um último drinque; os amigos e amigas que estavam sós e, sabendo que me encontrariam lá, iam bater um papo, e a garotada, que não saía da pista de dança; havia de tudo. Com um excelente restaurante no segundo andar, ministros cruzavam com cantores famosos, e meus amigos jogadores de futebol passaram a freqüentar o Hippo. Havia noites em que eu e José Walter, meu colega de trabalho, não tínhamos lugar para sentar, tal a quantidade de gente. Então, como Ipanema ainda era um bairro tranqüilo, sem assaltos, saíamos e nos sentávamos num banco na praça Nossa Senhora da Paz, em frente. O Regine's fechou as portas meses depois.

O grande problema era que Ricardo proibira a entrada de clientes que estivessem calçando tênis, e as pobres recepcionistas sofriam com a insistência dos sócios. Sobretudo porque, se a pessoa fosse muito famosa, podia usar o que quisesse. Como explicar isso aos anônimos que estavam na porta, querendo entrar? Dizendo que todas as pessoas são iguais mas algumas são mais iguais que as outras?

É difícil trabalhar na noite; difícil e cansativo. Muitas vezes divertido, outras de um tédio mortal; minha função era sobretudo mostrar que não havia nada mais bacana do que uma discoteca, nada mais engraçado do que ouvir a história que estavam contando; que todos os freqüentadores eram inteligentes, legais, charmosos; que ficar em casa era uma bobagem, uma caretice, o bom era ouvir Diana Ross e passar as noites rodopiando loucamente na pista de dança.

Nessa fase bebi bastante, para agüentar a música, as pessoas, os papos sem nenhuma graça, rir sem vontade, dançar sem vontade. Às vezes inventava de ficar sóbria, outras, de tomar o primeiro uísque somente depois das duas da manhã; mas — sem querer livrar minha cara — tente ir a uma discoteca toda noite e beber só água. É impossível — pelo menos para mim era. Sempre bebi para me desinibir, para ficar mais solta; bebida para mim é sinônimo de alegria, e, quando estou com algum problema, sou incapaz de tomar uma gota de álcool.

Quando entrei no Hippo, tinha cinqüenta anos, idade em que, naquela época, muitas mulheres já estavam em casa cuidando dos netos. Mas não eu. Eu vivia o auge da minha energia, tinha fôlego para enfrentar as madrugadas e, como sempre fui — e continuo sendo — muito vaidosa, a qualquer sinal de necessidade, uma plastiquinha básica.

Na verdade, nunca me achei bonita; não que me achasse feia, apenas normal, e estava tão interessada em viver minha vida que essa questão nunca me preocupou. Mas sou obsessiva com meu peso e, se estiver com um quilo acima dos meus cinqüenta e oito, fico dentro de casa em recesso, sem nem me olhar no espelho, até poder voltar a usar meu jeans Levi's 29. Entrar no bisturi para mim é uma coisa banal, tão banal como ir ao cabeleireiro, e sou capaz de entrar no consultório de um cirurgião para perguntar se existe algum procedimento de que ainda não ouvi falar. Só lamento ter, algumas vezes, caído em mãos menos cuidadosas, mas para tudo tem remédio. Talvez por nunca ter me achado especialmente bonita, não passei pela fase de sentir que estavam olhando menos para mim. Os homens continuam me olhando; talvez menos, mas continuam, o que adoro. E a natureza é sábia: se me trouxessem numa bandeja de prata garotões tipo Tom Cruise ou Leonardo DiCaprio, eu não ia nem olhar (aliás, nunca vi nenhuma graça em garotões nem em homens bonitos). Em compensação, iria até o fim do mundo para jantar com Jeremy Irons ou Sean Connery. E não me passa pela cabeça, em nenhum momento, que eu tenha mais de trinta e cinco anos.

Foi quando começaram a surgir os netos. Pinky teve dois seguidos: primeiro João, que nasceu em 76, hoje meu colega na *Folha de S.Paulo*, onde é fotógrafo; um ano depois Rita, que se tornou uma estilista de talento. Em 78 nasceu Felipe, filho de Samuca, que se formou em comunicação e trabalha em TV. Pinky teve mais um, em 81, André, também formado em comunicação. Bruno teve dois: Gabriel, em 84, que faz curso para ser ator, e Pedro, em 85, que vai se formar em psicologia. Somos hoje uma família grande, como se pode ver.

Uma pequena digressão: naquela época a televisão não era tão profissional como agora; as diferentes emissoras enchiam seus espaços entrevistando pessoas famosas — e desde o programa de Flávio Cavalcanti eu tinha me tornado bem conhecida. Por isso aparecia em vários programas, dando dicas sobre moda, palpites sobre atualidades, contando coisas da noite. Como quando nasceram os três primeiros netos eu ainda trabalhava no Hippo, volta e meia aparecia na TV; um dia um deles perguntou a Pinky: "Por que a vovó Jacy [a avó do outro lado] não aparece no Chacrinha?". Boa pergunta.

E outro parêntesis: por falar em vovó Jacy, na minha família nunca ninguém chamou ninguém de tia ou de avó (ou avô), eram todos chamados pelo nome. Certa vez, meu pai, que tinha horror à velhice, quando soube que eu dera uma entrevista "confessando" ter vinte e oito anos, me disse, muito seriamente: "Idade não se declara, um dia você vai se arrepender de ter dito". E mentia a respeito da idade das filhas e dos netos. Uma ocasião, em Paris, um galanteador perguntou se eu era casada; respondi que havia sido. "E tem filhos?" "Tenho três", respondi. "De quantos anos?", continuou ele. Com a maior cara-de-pau — devo ter lembrado de meu pai nessa hora — dei a idade (e os nomes) dos meus três então únicos netos, e ele acreditou. Meus filhos sempre chamaram meus pais de Tinoca e Jairo, meus netos também — e João tem duas filhas, Clarinha e Helena, que chamam Pinky de avó e a mim de Danuza. (E, se interessar a alguém, além de ter cinco livros publicados fora este, já plantei uma goiabeira.)

Lembro de uma vez no Hippo em que uma socialite estava louquíssima, mais louquíssima que de costume, e não parava quieta; de cinco em cinco minutos ia ao toalete, o que numa boate é perigoso, pois pode sinalizar consumo de drogas, e um flagrante de droga costuma ser o fim de uma casa noturna. Ricardo me chamou, aflito para encontrar uma saída. Tive a idéia de botar um segurança na porta do toalete — afinal, aqueles "armários" sempre atemorizam um pouco. Mas não daquela vez: quando vimos, a beldade estava atracada, aos beijos, com o segurança, que era um bonitão. Ricardo me pediu socorro de novo, e imediatamente tive outra idéia: "Troca o segurança bonitão por um bem feio". Assunto resolvido.

Havia os freqüentadores cativos que chegavam tardíssimo, aquele tipo de boêmio que quer tudo menos ir para casa; eles passavam por lá, pelos carros estacionados na porta viam que ainda tinha gente, entravam e ficavam até a boate se esvaziar. Às vezes íamos terminar a noite no Pizza Palace, ao lado do Hippo, só pelo prazer de continuar a conversa fiada, dizer e ouvir bobagens.

Hoje em dia me pergunto como consegui trabalhar na noite — todas as noites — por três, quatro anos seguidos. É bem verdade que havia as viagens, mas, quando eu viajava, era igual. Ricardo tinha aberto uma casa noturna em Paris, o 78, no lugar onde era o antigo Lido, no Champs-Élysées, e as madrugadas se sucediam. Tempos depois, o rumo era Nova York, onde Ricardo inaugurou o Club A — e tome mais madrugada. A barra era ainda mais pesada em Nova York, pois havia as esticadas no Studio 54, então no apogeu. Lá era assim: um sujeito na porta da boate, em cima de um caixote, decidia quem podia entrar. O critério era a extravagância do visual; quanto mais louco, melhor, e dificilmente um homem de terno e gravata conseguiria passar por aquele crivo. O mais interessante é que ficava uma multidão na porta implorando pelo direito de entrar. Era o auge dos tempos do rock, Bianca e Mick Jagger reinavam nas noites da cidade, e a droga (cocaína) imperava.

Uma ocasião, em Paris, fui convidada para um baile na casa da duquesa de La Rochefoucauld — convite vindo através de Ricardo, já que eu não a conhecia. Como sempre, não tinha levado vestido de baile, e minha amiga Lily, mais uma vez, me salvou. Como era uma das melhores clientes da *maison* Chanel, Lily, que também estava na cidade, telefonou para sua *vendeuse* e disse que havia chegado uma riquíssima sul-americana, sua amiga, que fora convidada para o baile e não tinha o que usar. Não seria possível emprestar um dos vestidos da nova coleção, um daqueles que as meninas desfilavam? Mas claro, madame, com o maior prazer.

À tarde, chega no meu hotel uma imensa caixa da Chanel com o vestido mais lindo que já vi: a saia toda de pétalas de organdi branco, o corpete de tafetá preto; o cinto, apenas uma fita de cetim preto com um laço e uma camélia, um luxo. A partir desse momento, o *concierge* do hotel começou a me tratar muito melhor, cheio de sorrisos e salamaleques — sabe como eles são. E Lily, que vai até o fim das coisas, me mandou, de quebra, seu colar de esmeraldas com os respectivos brincos e anel — emprestados, claro. Eu me senti uma princesa, e dei graças por ainda ter o mesmo corpo de quando era manequim, ou o vestido não serviria.

No baile, eu era a mais chique — ou uma das —, mas só eu sei o que passei. O medo de que pingasse uma gota de champanhe no vestido me impediu de me divertir, e de dois em dois minutos eu botava a mão na orelha para ver se o brinco não tinha caído. Nunca sofri tanto. Quando voltei para o hotel, tirei cuidadosamente a roupa — quase acomodei o vestido na cama e dormi no chão, para não amarrotar —, guardei as esmeraldas e fiquei olhando para todo aquele luxo. Lá no fundo talvez eu achasse que, o dia em que uma mulher vestisse um lindo vestido de Chanel e usasse esmeraldas, tudo mudaria, ela passaria a ser outra, mas a verdade é que nada muda e você volta a ser a mesma pessoa de antes. E pensei que, mesmo adorando essas coisas maravilhosas — que, aliás, adoro —, não vale a pena fazer nenhum tipo de concessão para tê-las, pois, quando a festa acaba, nada disso quer dizer nada, e nenhuma festa dura para sempre.

•

Voltando ao Hippo: é claro que todas as personalidades internacionais que iam ao Rio acabavam dando as caras por lá. Algumas iam toda noite, como o ator Michael Caine, que estava fazendo um filme na cidade e, meio desenturmado, passava sempre para conversar comigo. Nunca vou esquecer da passagem de Rod Stewart pela boate. Ele, que havia sido acusado de plagiar a música "Taj Mahal", de Jorge Ben (agora Benjor), com a maior cara-de-pau, chegou, sentou, pediu uma bebida. O discotecário, para agradá-lo, botou uma música dele, mas escolheu justamente a que ele tinha sido acusado de plagiar, "Da ya think I'm sexy?". Jorge, que vinha uma noite sim outra também (e só tomava guaraná), não deu a mínima e saiu dançando na pista como se nada fosse. Grande Jorge Ben. Foi também inesquecível o dia em que Neusinha Brizola, em sua fase mais animada, digamos assim — seu pai era governador —, posou para uma foto com Ivan Chagas Freitas, filho do ex-governador que era inimigo de morte de Brizola. A foto, publicada na coluna de Zózimo Barroso do Amaral, foi o assunto da semana.

Certa vez — era inevitável — me convidaram para posar para a *Playboy*. Não vou mentir: eu era bem exibida, adorava aparecer na imprensa, e curti a idéia. Mas tive o bom senso de fazer uma reunião com os filhos para discutir o assunto, e o não que recebi foi de tal ordem que enfiei minha viola no saco e encerrei o assunto ali mesmo.

Mas as noites são todas iguais, e comecei a cansar daquela alegria obrigatória, daquela animação da qual não tinha coragem de sair. Ganhava bem. Durante esse período alguns homens passaram pela minha vida, mas sempre estive sozinha, e tinha medo, sobretudo, de passar a ficar em casa à noite, vendo televisão, depois de tempos tão trepidantes. Mal ou bem, o Hippo era um programa a que eu estava habituada e que me obrigava a me produzir, a me comunicar, a ver gente. Mas não dava para esconder de mim mesma que eu estava começando a entrar em crise. Disfarcei bem, enquanto pensava no que fazer.

Tempos depois de ter largado o Hippo, fui abrir a agenda de telefones e não encontrei o nome de um único amigo. As amizades da noite duram até o dia amanhecer, e, se sobrou alguma coisa daquela época, foi a lembrança de algumas risadas, e muitos arrependimentos. E só.

9

Em 79, quando eu ainda trabalhava no Hippo, teve início meu período de trevas. Uma tarde Nara, aos trinta e sete anos, caiu no banheiro da sua casa; se machucou bastante e, quando se refez, começou a falar inglês. Foi levada para o Hospital Samaritano, e aí surgiram as dúvidas: ela teria caído e batido a cabeça, ou teria tido um mal-estar e por isso caíra? O neurologista falou em operá-la naquela noite mesmo, mas, como o resultado da tomografia foi vago, acusando uma mancha no cérebro sem maiores detalhes, ele achou melhor não arriscar. Logo Nara, que não fumava nem bebia uma gota de álcool; como aquilo podia acontecer com ela?

Nara era forte e valente. Nos anos que se seguiram, sua saúde oscilou entre estar bem e ter ausências inexplicáveis, até mesmo durante os shows, mas ela nunca deixou de cumprir seus compromissos profissionais, gravando e viajando pelo Brasil e pelo exterior. Apesar das ausências, que foram se tornando mais freqüentes, Nara fez uma turnê por Portugal, pelo Japão, e ainda foi cantar no Olympia de Paris e em Nova York.

Os médicos não davam diagnósticos precisos: um dizia que poderia se tratar de um tipo de epilepsia; outro, que o mal teria sido causado pela pílula anticoncepcional; outro achava que talvez fosse um problema na válvula mitral. Quatro anos se passaram; já estávamos em 83, e só em 85 Nara começou a se tratar. Ia da alopatia à homeopatia, e era comovente vê-la andando pela casa com um cestinho na mão cheio de vidrinhos de remédios e um papel com as indicações de quantas gotas tinha que tomar de qual frasco a cada hora, isso o tempo todo. Ela às vezes melhorava, o que nos enchia de esperanças, depois voltava a piorar. Até que um novo neurologista, com base numa nova tomografia, diagnosticou um tumor no cérebro. Eu já não trabalhava no Hippopotamus quando Marco Antônio Bompet, namorado de Nara, e Miguel Bacelar, que trabalhava com ela, me chamaram para me pôr a par da verdade. Fiquei muda, incapaz até mesmo de chorar.

No dia seguinte, sem comentar o diagnóstico com meu pai, sugeri que fôssemos consultar o maior neurologista do Rio, levando os exames de Nara. Ele os examinou cuidadosamente e confirmou o que o outro médico havia dito. Meu pai perguntou se não seria o caso de uma cirurgia, e a resposta, compungida, foi não. O tumor era num local muito profundo, e qualquer tentativa de extirpá-lo poria em risco a região da fala — isso se Nara sobrevivesse. Saímos do consultório destruídos; fomos andando pela rua sem trocar palavra, e nunca falamos sobre o assunto. Falar o quê? Às vezes papai me dizia, como se estivesse se referindo a outra questão: "Tenho muita pena de Nara" — e só. As ausências passaram a ser mais e mais freqüentes; pobre de minha irmã, minha irmãzinha caçula. Nunca contamos a verdade a minha mãe, nem ela perguntava.

Em setembro de 80, um ano depois da primeira queda de Nara, eu estava em São Paulo gravando um comercial quando recebi um telefonema: Samuel, com apenas sessenta e oito anos, havia tido uma parada cardíaca, decorrente de uma grave insuficiência respiratória, e não resistira. Sua saúde não andava bem havia tempos; ele nunca se cuidou muito: mesmo tendo tido tuberculose, continuou a ser um fumante inveterado, e só largou o cigarro quando o médico o obrigou. Era doloroso ver aquele homem precisando de um balão de oxigênio para poder respirar e pedindo aos amigos que fumassem perto dele para poder inalar a fumaça. Pinky morava em

São Paulo e via mais o pai; duas ou três vezes Samuca e Bruno viajaram às pressas, pois Samuel tinha sido internado — só que dessa vez, quando entraram no hospital e perguntaram o número do quarto, ele já estava morto.

Na véspera, tinha desembarcado em São Paulo uma sueca amiga de amigos, e Samuel, mesmo mal, levou-a para jantar e conhecer a noite paulistana. Três horas depois de voltar para casa, ele não agüentou e foi internado. Assim que anunciaram sua morte, começou a chegar o pessoal da imprensa, jornais e televisão, além dos seus amigos, que eram muitos. Seu corpo foi cremado. Pinky, Samuca e Bruno sofreram muito. A morte de Samuel foi muito difícil para mim também. Apesar de separados havia tantos anos, ele continuava a fazer parte da minha vida, e até hoje, quando não entendo bem uma notícia que leio ou tenho um problema com um filho, penso: "Ah, se Samuel estivesse aqui". Pensei isso também quando comecei a escrever em jornal.

Sua morte foi uma emoção nos meios jornalísticos. Samuca, que trabalhava no *Jornal do Brasil*, escreveu um comovente artigo, "Samuel Wainer, meu pai", que foi publicado com grande destaque.

Não houve inventário, pois Samuel não deixou nada, apenas um telefone. Uns dias depois Samuca foi a São Paulo buscar as cinzas; Bruno e ele ficaram andando pelo Rio, com a urna na mão, sem saber o que fazer. Resolveram jogar no mar, das pedras da avenida Niemeyer.

Fiquei longe do Hippopotamus por quinze dias, e, apesar de ainda muito abalada, voltei ao trabalho. Aprendi com Samuel: quanto piores estão as coisas, mais depressa é preciso voltar a trabalhar.

Os anos foram passando, e uma madrugada, entre o Natal e o início do ano de 1983, ao parar o carro na porta de casa depois de voltar do Hippo, fui atacada por um homem. Eu estava saindo do carro quando ele surgiu, e não sei de onde tirei forças para botar os pés no peito dele e derrubá-lo. Consegui fechar a porta, ligar o motor e voltar para a boate, com as pernas bambas, apavorada, aos prantos. No dia seguinte, péssima, pensei muito no que estava fazendo de minha vida. A crise que eu já vivia se acentuou; procurei um analista e em janeiro comecei as sessões.

Um mês e alguns dias depois do meu quase-assalto, em fevereiro, às cinco da tarde, recebi um telefonema de Oliveira, porteiro do edifício onde meus pais moravam, pedindo que eu e Nara fôssemos para lá com urgência. Ao chegar, encontramos minha mãe na portaria. Oliveira me chamou num canto e disse que tinha ordens expressas de meu pai para não deixar que nenhuma de nós subisse. Ele, Oliveira, deveria entrar sozinho no apartamento (estava com a chave), mas só quando já estivéssemos as três no prédio. Minutos depois, ele voltou dizendo que meu pai estava morto; havia se trancado na cozinha, abrira os bicos de gás e dera um tiro na carótida.

Meu pai morto, e daquela maneira. Como era possível? Muito organizado, na manhã daquele dia ele tinha ido a um cartório e deixado por escrito suas instruções: queria ser cremado. Por se tratar de morte violenta, precisamos avisar a polícia, e o corpo foi encaminhado ao Instituto Médico-Legal, na Lapa; na mesma noite fui, com Bruno, fazer o reconhecimento. Como ainda não havia crematório no Rio, o corpo foi transportado de avião para São Paulo. Quem ajudou nesses trâmites burocráticos foi o documentarista Roberto de Oliveira, então marido de Pinky. Nara, Samuca e Bruno também assistiram à cerimônia de cremação; minha mãe preferiu ficar no Rio. Foi tudo demais para ela.

Quando voltamos, fiquei desolada ao ver minha mãe sozinha naquele apartamento enorme, sem falar, sem chorar, sem nada. Era véspera de Carnaval, e, naquele clima de tristeza absoluta, ouvia-se às vezes passar um bloco na rua. Resolvi tirar mamãe dali, achando que poderia ser bom para ela mudar de ares. Sugeri, e ela concordou — no estado em que se encontrava, concordaria com qualquer coisa. Nara e eu morávamos no Leme, e pensei que, se minha mãe morasse mais perto de nós, seria bom para todos. Encontrei um apartamento e fiz a mudança a toque de caixa. A experiência durou pouco: um mês depois mamãe quis voltar para o antigo apartamento e, lá, arrumou todos os móveis exatamente nos mesmos lugares de antes. Na sua introspecção, ela teve a sabedoria que eu não tive: que é preciso viver o luto, não adianta mudar de casa, viajar, tentar se distrair. Não era em vão que no passado, quando as pessoas perdiam alguém da família, ficavam seis meses usando preto, depois se permitiam usar alguma coisa branca, e cores só muito mais tarde. Minha mãe sabia, intuitivamente, das coisas, eu não — e o futuro mostrou que continuei sem saber.

Meu pai deixou muitas cartas; numa delas, dizia que havia escolhido morrer no dia 12 de fevereiro, folga da empregada. Mas, como não tinha conseguido finalizar certos papéis — ele deixou os documentos em absoluta ordem —, fora obrigado a adiar sua morte para uma semana depois (sempre na folga da empregada). Nesse dia disse a minha mãe que estava esperando um cliente, que ela fosse dar uma volta e não chegasse antes das seis; deu instruções precisas ao porteiro e se matou.

Como me senti culpada por sua morte. Por que não convidei meu pai para comer uma moqueca de lagosta comigo no seu último domingo de vida? Talvez tivesse podido lhe dar alguma alegria, talvez tivesse conseguido fazer com que ele visse alguma graça, sei lá. Hoje acho que é difícil alguém mudar de idéia quando decide que não quer mais viver, e não sei — não sei mesmo — se alguma coisa poderia ter alterado os planos de um homem tão determinado. Sofri muito quando pensei no que deve ter sido para ele ter que adiar sua decisão por uma semana; quanta angústia deve ter acarretado esse adiamento, essa semana a mais. E chorei muito ao ler uma carta em que ele pedia desculpas por se matar duas semanas antes do Carnaval, sabendo que eu estava toda feliz porque ia desfilar em escola de samba. Mas, ele dizia, estava angustiado, não podia esperar. Meu querido pai, em quem penso tanto até hoje e com quem gostaria tanto de conversar sobre as coisas, sobre a vida. Dias depois Samuca foi a São Paulo buscar as cinzas dele, e as jogamos num regato no alto do Jardim Botânico, um lugar que achei que seria do seu agrado. Tirei uns dias de folga, e só Deus sabe como reuni forças para voltar a trabalhar.

Meu pai gostava muito da vida, e parecia prever as coisas, por intuição. Desde os anos 40, quando chegamos ao Rio, ele andava na praia — oito quilômetros — todos os dias (dr. Cooper talvez não tivesse nem nascido ainda) e estimulava as filhas a andar também; mesmo apreciando muitíssimo um bom prato, sempre dizia que era preciso "sair da mesa com fome" — última das modas em matéria de dieta. Muitas vezes eu o ouvi comentar que a vida devia ser mordida como se morde uma manga madura, uma bela declaração de vitalidade. Alguns anos antes de sua morte ele tinha tido catarata nos dois olhos, num tempo em que não havia a cirurgia, hoje tão banal, que restitui totalmente a visão.

Depois da morte de meu pai, Sebastiana, então minha empregada, me contou que um dia o flagrou tentando descer da guia, tateando com o pé, para atravessar a rua; como um cego, praticamente. Anos depois, um médico amigo me disse casualmente, numa conversa, que a catarata levava, com alguma freqüência, ao suicídio. A perda da visão, mais o problema de Nara, a idade chegando, o que ele não admitia, devem ter pesado muito na sua decisão. É difícil falar sobre a morte, e mais difícil ainda tentar entender o suicídio. Eu e Nara conversamos muitas vezes sobre isso — entrávamos no terreno da psicanálise, mas num determinado momento parávamos, sem conseguir ir adiante.

Meus pais moravam na mesma casa, mas era como se fossem separados. Pior, talvez, já que quase não se falavam, a não ser o estritamente necessário. Cada um tinha seu quarto, seu banheiro, seu telefone; meu pai saía muito cedo para o trabalho, chegava tarde e se fechava no quarto. Algumas vezes chamei os dois para jantar na minha casa, mas não deu certo, já que um não dirigia a palavra ao outro; sem hostilidade visível, mas num distanciamento total. Por problemas que nunca entendi bem, eles se afastaram de suas famílias, e com isso eu e Nara nunca vivemos as coisas que as pessoas geralmente vivem: acompanhar a doença de um parente, a morte de outro. Hoje penso que esse isolamento, instituído por meu pai, era para se proteger dos pequenos dramas que todas as famílias experimentam, e, quanto mais extensas elas são, maiores as chances de ocorrerem fatalidades. Nossa família éramos nós quatro, e ponto.

Nara e eu, cada uma em sua trajetória, fazíamos sucesso; vivíamos nas páginas dos jornais e das revistas, éramos admiradas. E tenho certeza de que meu pai se orgulhava de nós. Mas para ele nada do que fazíamos era suficiente. Se ela saía na capa da *Manchete*, ele dizia que ela poderia ter saído também na capa d'*O Cruzeiro*; se eu ganhasse um milhão na loteria, dizia que eu poderia ter ganho dois. Acho que a primeira tragédia que chegou a nós foi a doença de Nara, e deve ter sido impossível para ele suportar essa realidade. Demorei, mas acabei entendendo meu pai.

E percebi o quanto é injusto, na juventude, sobretudo quando se começa a fazer análise, julgar nossos pais culpados de tudo: eu caí nesse erro, Nara também. Não passa pela nossa cabeça jovem que eles são o produto da infância que tiveram, da maneira como foram criados, o que também tem a ver com a maneira como foram criados nossos avós etc. etc., e que essa história não acaba nunca. Até uma certa idade se pode botar a culpa de tudo nos pais. Quando se é jovem, essa atitude pode até parecer simpática, mas mais tarde perde toda a sua atração.

Continuei minha análise, criando forças para sair do Hippo — eu e Ricardo tínhamos boas relações, e deixá-lo me parecia quase uma traição. Mas eu sabia que era apenas uma questão de tempo. Em abril, fui convidada para comandar um *talk-show* na TV Carioca, que seria transmitido só no Rio. O programa, diário, com três convidados por edição, havia sido planejado para ter Cidinha Campos como entrevistadora, mas no terceiro dia houve um desentendimento entre ela e a produção, e fui convocada em regime de quase-urgência para assumir o posto. Topei.

Gravávamos três vezes por semana. Eu não conhecia nada de televisão, tinha sido do júri de Flávio Cavalcanti, onde me limitava a responder a alguma pergunta dele, mas sabia conversar. Não foi um fiasco, tampouco um grande sucesso. Era uma coisa leve, simples; eu me distraía, e via naquilo um caminho — quem sabe? — para quando saísse do Hippo.

O Rio inteiro — cantores, empresários, políticos, escritores, sambistas — passou pelo *Encontro Marcado*: era esse o nome do programa. Um dos primeiros que entrevistei foi Pedro Nava. Lembro bem de ele ter feito, durante toda a entrevista, uma ode à juventude — sustentava que essa fase era tão importante na vida das pessoas que antes dos trinta anos ninguém devia estudar nem trabalhar, mas apenas viver. Uma semana depois ele se matou.

No dia 28 de junho — quatro meses depois da morte de meu pai — saí da análise e, cheia de coragem, fui direto para o escritório de Ricardo; disse que estava cansada, não queria mais trabalhar na noite. Eram sete horas quando fui para casa, me sentindo a mais feliz das criaturas. Pretendia deitar às dez e ficar vendo televisão, coisa que não me acontecia havia anos e naquele momento me parecia a melhor pedida do mundo. Não foi, pois o noticiário era só tristeza: naquele dia, uma equipe da TV Globo fora fazer uma matéria sobre a Petrobrás, perto de Macaé, e o avião caíra; no acidente, morreram catorze profissionais da emissora. Passei a manhã seguinte em casa, e me preparava para dar uma volta em Ipanema quando me telefonou Samuca, com uma voz soturna. Ele, com outros jornalistas, estava indo cobrir a morte dos colegas e queria me dar um alô antes de viajar.

Samuca era como o pai, telefonava sempre; e era inquieto, passava de uma inquietação para outra, também como o pai; e ansioso, nervoso, sempre cheio de idéias. Estudou em diversos colégios depois que chegamos da Europa. Um dia, quando todos os jovens e não-jovens da cidade usavam cabelos longos, ele apareceu de cabeça raspada e juntou-se a uma banda de rock. Quando, aos vinte e cinco, vinte e seis anos, disse ao pai que ia ser jornalista, Samuel quase chorou de felicidade; *quase* não, deve ter chorado, sim, e Samuca foi trabalhar no *Jornal do Brasil*, onde logo se tornou um ótimo repórter. Inventou a Musa do Verão e foi peça-chave no escândalo da Proconsult, quando tentaram manipular o resultado da eleição de 82, ganha por Brizola. Ele às vezes me enlouquecia por sua incapacidade de sossegar pelo menos por uns tempos. Mal sabia eu o quanto é bom ter um filho que nos enlouquece.

Todo mundo gostava de Samuca; ele já chegava rindo, contando novidades, propondo coisas, sempre inventando. Um dia, ele e alguns companheiros resolveram criar um programa só de rock na Rádio Fluminense FM. O programa logo virou *cult*, e surgiu então o convite para que aqueles jovens apaixonados por música se ocupassem da programação da rádio inteira. Foi assim que a Rádio Fluminense FM, que passou a ser conhecida como a Maldita, se transformou num sucesso estrondoso.

Pouco depois de ter aceitado o convite, Samuca recebeu outro, dessa vez para trabalhar na TV Globo, e, como não resistia a um desafio, topou. Aprendeu rápido e logo se tornou repórter especial. Certo dia, foi fazer uma matéria para o *Fantástico* na Colônia Juliano Moreira, um manicômio do Rio. Segundo relato de quem trabalhou com ele, Samuca tratou os internos de maneira diferente, com muito respeito; passados alguns dias, conseguiu um ônibus e levou todos para ver o mar da Barra da Tijuca. A matéria do *Fantástico* fez tanto sucesso que a direção resolveu fazer do assunto um *Globo Repórter*.

Samuca voltou lá; viu uma cela com a portinha aberta, com um homem dentro, e entrou. Entrou e revelou ao mundo a existência de Arthur Bispo do Rosario, um misto de artista e louco, que executava os trabalhos mais criativos com elementos colhidos no lixo, e que fez um extraordinário manto bordado com nomes de artistas, políticos, sentimentos, cidades, todas as palavras que é possível imaginar; com o manto pretendia enfrentar o Juízo Final. Bispo do Rosario, que viveu quarenta anos internado como esquizofrênico, foi o representante do Brasil na Bienal de Veneza em 95.

Samuca tinha se casado com Helô Abranches uns cinco anos antes, casamento bem à moda dele: às onze da manhã, num cartório em Copacabana, Helô com um barrigão de oito meses. Papel assinado, a família e alguns amigos se reuniram numa pracinha que havia embaixo, e festejamos tomando milk-shakes e sorvetes numa lanchonete. Foi muito alegre esse casamento. No mês seguinte nasceu Felipe, e dois ou três anos depois eles se separaram.

Depois do telefonema de Samuca, saí, passeei por Ipanema, e já no fim da tarde voltei para casa, onde morava sozinha. Quando liguei a secretária eletrônica, fiquei espantada com a quantidade de recados. Recados de pessoas da TV Globo, de outras que eu sabia quem eram mas não conhecia pessoalmente, recados de gente que chorava no meio da fala. Ninguém explicava muito bem o que acontecera, mas consegui entender que tinha havido um acidente e que Samuca estava no carro. Liguei para Nara, que morava ao lado, e pedi que ela viesse, eu não podia ficar sozinha. As chamadas continuaram, o telefone não parava de tocar, até que alguém, não sei quem, disse que o estado de Samuca era grave. Nara chegou, e ficamos as duas sem saber o que dizer, o que fazer.

As más notícias correm com rapidez. Dali a pouco telefonou Miguel Bacelar, aquele que trabalhava com Nara, e pedi a ele que fizesse um contato com o neurocirurgião Paulo Niemeyer, meu amigo, que procurasse saber onde estava Samuca, que tomasse alguma providência prática, já que eu estava incapacitada de qualquer coisa. Miguel disse que ia fazer o que tinha que ser feito e que em seguida iria lá para casa. Resolvi descer e esperar na porta, para me livrar do telefone. Uns quinze minutos depois chega Miguel. Atravessei o calçadão para encontrá-lo, e então ele me disse que não havia mais nada a fazer. Samuca estava morto.

Bruno, Pinky e Roberto já tinham chegado quando começou o *Jornal Nacional*. Ficamos todos juntos, abraçados, de mãos dadas, mal acreditando no que havia acontecido. Samuca apareceu, tão lindo, tão lindo. Naquele momento pensei que nunca passaria por sofrimento maior, mas passei, e quantas vezes, e durante quantos anos — como agora. Certas dores o tempo não cura; faz vinte e um anos, e, quando me lembro, é como se estivesse vivendo o momento em que recebi a notícia.

A casa foi enchendo de gente. Eu, em estado de choque, conversava com as pessoas, sorria, oferecia uma bebida, como se estivesse dando uma festa. Não sei quem estava lá, não porque tenha me esquecido, apenas porque não vi ninguém. Lembro que já bem tarde alguém disse que eu precisava descansar. Me fizeram beber um uísque puro, mais outro, mais outro, e uma hora qualquer caí desmaiada num sofá. Era dia claro quando Pinky me acordou dizendo que o corpo já estava na capela e era hora de irmos. Fui me vestir, e lembro bem desse momento: escolhi cuidadosamente a roupa e botei um sapato de salto alto, até hoje não entendo por quê. Tomamos um táxi para o cemitério, e no caminho eu pensava: "Isso não está acontecendo, é um pesadelo, só pode ser, só pode ser".

Quase todas as salas para velórios do cemitério São João Batista estavam ocupadas pelos corpos dos profissionais da Globo que tinham morrido na queda do avião. Samuca estava vestido com uma jaqueta de camurça, sua marca registrada. Samuel havia tido uma, e, enquanto ele não teve uma igual, não sossegou. Ver seu filho num caixão é contra qualquer lei da natureza. Lembro que apertei muito suas mãos frias, beijei muito o rosto dele, e fiquei ali, recebendo abraços, sem fixar nada nem ninguém; só me lembro, e nitidamente, dos funcionários do Hippo, do *maître* ao mais modesto cumim, que devem ter passado a noite em claro e ido direto me abraçar, e de Brizola, que Samuca adorava. Mas acredito que todo o Rio de Janeiro tenha aparecido lá, dada a comoção que tomou conta da cidade. Afinal, morreram vários rapazes no acidente aéreo e outros no dia seguinte, jovens que eram vistos todos os dias na TV e que por isso eram considerados quase íntimos, digamos assim.

Lembro de dois momentos: um, quando chegou um amigo, casado com uma mulher metida a religiosa, e minha revolta enfim explodiu. Eu disse a ele: "Diga a sua mulher que, se ela vier me dizer para ter fé em Deus, eu avanço em cima dela aqui mesmo". O segundo foi quando chegaram Helô e Felipe, então com cinco anos, lindo, a cara de Samuca quando pequeno, usando uma camisa Lacoste rosa. Helô é psicóloga, e agiu da maneira certa, apesar de dolorosa: levou o filho até o pai, fez o menino beijá-lo, e ficou o tempo necessário para que ele compreendesse bem o que tinha acontecido. Na hora do enterro, alguém subiu numa árvore e disse umas palavras, mas não ouvi nada; eu não sabia nem quem eu era nem o que estava fazendo ali. Uma parte de mim foi enterrada com Samuca. Voltamos para casa, tomei um longo banho de chuveiro, e embarquei para São Paulo com Pinky e Roberto.

No dia seguinte de manhã, a campainha da casa de Pinky tocou. Era Renato, na época correspondente da Globo em Londres, que tomou o avião logo que soube. Ele ficou comigo uma semana, e fomos juntos à missa de sétimo dia, na Catedral do Rio de Janeiro. Quando cheguei, já estavam lá Alzira Vargas e Fausta, que havia sido babá de Samuca e a quem não via fazia mais de vinte anos. Lembro de ter dito a Alzira que felizmente Samuel não tivera que passar por aquela dor. Não consegui ficar para os cumprimentos; mal a missa começou, fui embora com Renato. Ele embarcou naquela mesma noite de volta para Londres. Nunca esqueci, nem vou esquecer, da vinda dele ao Brasil para estar comigo naquela hora.

Eu morava sozinha, e sozinha fiquei. Deixei um recado na secretária eletrônica dizendo que estava viajando e agradecendo o telefonema, e não recebi uma só visita de pêsames, o que para mim teria sido muito mais que insuportável.

Duas semanas depois voltei a gravar o programa na televisão. Parecia que um anjo da guarda — se é que eles existem — me ajudava. Assim que ouvia a palavra *gravando*, eu tirava forças não sei de onde e, a duras penas, conversava, perguntava, fingia que era alguém normal. Assim que a gravação acabava, eu me transformava em outra pessoa e ia correndo para casa, para poder ficar só. Nem chorar eu conseguia; chorava só durante as sessões de análise.

Pinky me ajudou muito. Fui muitas e muitas vezes a São Paulo ficar com ela, e outras tantas para uma casa que Pinky tinha numa praia chamada Almada, no litoral paulista. Era uma praia de uns trezentos metros, onde só existiam pescadores; a casa era pequena, modesta, o conforto precário; à tarde começavam a chegar os mosquitos, muitos mosquitos, mas era tudo tão bom que não tinha importância. Na verdade, era o único lugar deste mundo onde eu me sentia razoavelmente bem. O mar era a uns quinze metros da varanda, um mar sem ondas, quase morno, e só quando eu entrava nele e mergulhava me sentia viva. Quase viva, melhor dizendo. Nos fins de ano, ainda com Samuca vivo, a família ia toda para lá, e continuamos a ir. Nunca nenhuma Paris, Londres, Nova York ou Pequim me fizeram mais feliz do que aquelas temporadas com meus filhos na Almada. Será que eles souberam disso? Por que será que a gente nunca diz as coisas na hora? Será que eles teriam acreditado?

Durante um longo período achei que a Globo tinha sido a culpada pelo acidente, por causa da pressa, sempre a pressa, para entrar no *Jornal Nacional*. Mais tarde vi que a culpa não era da Globo, mas dos tempos que vivemos. Se anos antes houvesse ocorrido algo de semelhante, com Samuel dirigindo a *Última Hora*, provavelmente os repórteres também teriam corrido mais do que deviam na estrada, para que a matéria pudesse sair na edição.

Foi aí que comecei a beber. Quando eu acordava, a realidade era tão insuportável que eu tomava uma bebida bem forte — vodca, uísque, conhaque, qualquer uma servia. E mandava a segunda, a terceira e a quarta, até ficar anestesiada, ficar sei lá como. Quando ia para a análise e chegava mais cedo, fazia hora num botequim ao lado tomando cachaça no balcão, em pé. Um dia fui à Cobal — um hortifrúti na Zona Sul do Rio — e, quando fui pegar meu carro, estava cambaleando. Uma moça que eu não conhecia mas cujo nome vim a saber mais tarde, Vera Noronha, se dirigiu a mim, perguntou meu endereço, me levou para casa, me botou na cama, ligou para o Bruno, disse onde estava meu carro e foi embora. Existem anjos neste mundo, sim.

Durante esse período Nara continuava com seus problemas de saúde, mas eu não tinha condições de ajudá-la — nem ela a mim. Como uma pessoa que sabe que tem um tumor na cabeça pode ajudar a irmã que perdeu um filho, ou o contrário? Tentávamos, mas era difícil, cada uma lutando com seu sofrimento.

Para evitar pensar, eu me defendia não passando pela rua do cemitério, nem perto do lugar onde Samuca tinha morado; não havia uma foto dele na minha estante, e à noite eu me enchia de comprimidos para dormir o mais rapidamente possível. Um dia, na análise, disse que estava com uma dor de estômago muito forte; a analista me fez algumas perguntas, nenhuma procedia, até que ela me perguntou o que eu andava comendo. E eu me dei conta de que fazia dias que não botava nada na boca.

Lembro de uma vez em que Samuca me disse que ia comprar um toca-fitas para o carro. Um toca-fitas, na época, era uma grande novidade, e não entendi por quê, se ele já tinha rádio. Ele me respondeu que, quando se entra num túnel, o som do rádio desaparece, mas o do toca-fitas não. Durante anos — dez, quinze —, sempre que entrava num túnel, eu lembrava dessa história. Às vezes ligava a televisão e, quando estava passando um filme francês — *Au revoir les enfants*, por exemplo — e eu via aqueles menininhos no colégio, brincando no recreio, vestidos como Samuca se vestia quando estava na França, não agüentava e desligava; e não agüento até hoje.

Um dia eu bocejei, e morri de culpa, pois essa reação do meu corpo me lembrava que eu estava viva, e eu me sentia profundamente culpada de estar viva. Uma vez, dirigindo meu carro, vi no carro da frente a nuca de um rapaz que era igual à de Samuca. Fui atrás feito uma louca, no meio do trânsito, até conseguir emparelhar e constatar que não era ele. Foi como se Samuca, que por instantes me pareceu tão perto, tivesse morrido de novo. Hoje, penso em todo o tempo que poderia ter ficado com ele e não fiquei, no tempo que perdi com bobagens, em vez de ficar mais perto dos meus filhos. Tento recuperar esse tempo agora, com Pinky e Bruno, mas aquele que passou, nunca mais.

E Felipe, o filho tão querido de Samuca? Exatamente igual a ele, os mesmos olhos, os mesmos cabelos encaracolados, o mesmo sorriso, e tão carinhoso. Precisando, penso eu, tanto de mim, e eu não podendo dar o que ele precisava, porque, quando via Felipe, via Samuca. Passou o tempo, e quase nada mudou, pois ele é a cara do pai. Não sou a avó que deveria ser; poderia, como tantas avós, ter transferido meu amor para ele, ter contado histórias de quando Samuca era pequeno, ter me agarrado a ele.

Mas a vida não é como nos filmes, e sim como ela é; as pessoas são o que são, por isso nunca pude chegar muito perto de Felipe, nem conversar com ele sobre o pai. Quando olho para ele, dói demais, e espero que ele me entenda. Deve entender: é inteligente e sensível. Hoje sei que não se deve fugir das dores; dizem que é preciso sofrê-las para que elas um dia melhorem, mas continuo fugindo. Pode ser até que melhorem, mas passar elas não passam. Nunca.

Não consigo falar de Samuca até hoje. Faz poucos anos que me senti capaz de pronunciar seu nome, botei uma foto dele na estante (para a qual não olho), mas não aceito que ele tenha morrido. Às vezes alguém que não conheço chega para mim e diz: "Fui muito amigo de Samuca", e eu não sei o que dizer, mas fica claro que não quero falar sobre o assunto. Samuca morreu no dia 29 de junho. No ano seguinte, no final de maio comecei a ficar deprimida. Fui piorando, piorando, e no dia do primeiro aniversário da morte dele não consegui levantar da cama. No outro ano foi igual, só que a depressão começou um pouco mais tarde. Levei alguns anos para perceber que era a proximidade da data que me punha naquele estado; o tempo passou, e hoje consigo atravessar quase normal esse dia, menos quando vai anoitecendo e chegando a hora. Aí eu me tranco no quarto e fico sozinha.

•

Eu continuava no programa de TV, mas gravava só duas vezes por semana, e continuava bebendo muito, todos os dias, mais e mais. Renato me telefonava sempre, queria me ajudar mas não podia vir, então me chamava para ir encontrá-lo na Europa. Fui, várias vezes. Numa das viagens fomos à Borgonha, noutras a Madri, Capri, Paris — era sua maneira de me fazer companhia. Mas, quando eu estava no Rio, quem me ajudou mesmo foi, mais uma vez, Lily, que já havia perdido seu marido Horácio. Lily foi a pessoa mais presente, mais carinhosa, mais solidária, mais tudo o que alguém pode ser num momento desses. Ela sabia o que eu estava experimentando, e algumas vezes ficava no telefone comigo até quatro, cinco da manhã, até que eu estivesse suficientemente cansada para tentar dormir. A fase da bebida, que durou mais de um ano, foi diminuindo graças à análise, e eu precisava me ocupar. Mas não tinha cabeça para nada, e quem iria oferecer trabalho para mim, naquele estado? Novamente foi Lily quem me socorreu. Com muita habilidade, me propôs um negócio, que faríamos juntas. Eu deveria pensar em que ramo atuaríamos, e seríamos sócias. Era, percebi depois, apenas um modo de me ajudar a voltar à vida.

Achei que podia abrir um restaurante, mergulhei na obra, e o Primavera ficou pronto em dezembro de 84. Fiz um menu com três entradas, três pratos principais e três sobremesas, por um preço fixo em ORTNs. Como o valor das ORTNs subia todos os dias, era só pegar a máquina de calcular e fazer a conta. Mas é difícil administrar um restaurante; às sete da noite chegava alguém dizendo que tinha acabado a manteiga, e lá ia eu para o supermercado. Durante os cerca de quatro meses em que esteve aberto, o Primavera foi um sucesso, mas meus nervos não agüentaram; na verdade, ele existiu apenas para me impedir de pensar em Samuca. Num determinado dia, reuni o cozinheiro e os garçons, e comuniquei que estava fechando o restaurante.

A essa altura, Lily estava começando a voltar à vida, enquanto eu afundava no meu buraco negro. Houve um afastamento que considerei natural; se ela continuasse a partilhar do meu luto, nunca sairia do dela, era uma questão de sobrevivência. Muitos anos depois voltamos a nos ver e a ser amigas como antes. Não cheguei a ser amiga do dr. Roberto, só nos víamos nos grandes jantares que eles davam, mas fiquei muito feliz por Lily ter encontrado a felicidade. E não me esqueço do dia em que fui almoçar na casa deles, no Cosme Velho. Quando dr. Roberto desceu, muito elegante, ela fez uma pequena cena de ciúmes que o encantou, perguntando por que estava usando uma determinada água-de-colônia. Depois, quando ele foi me mostrar as carpas no rio que cortava a propriedade, ela lhe pediu que pusesse o pé numa mureta, levantou sua calça até o joelho, desceu a meia, e me fez passar a mão em sua perna, dizendo: "Você já viu pele mais doce?". Positivamente, Lily não existe.

Fiquei anos sem ver praticamente ninguém, sem ir a um cinema, sem escutar uma música, sem saber do que acontecia no mundo. Só Lily conseguia me sacudir um pouco; com ela fui a Brasília para a posse de Tancredo, que foi aquela frustração. Lily tinha me emprestado um vestido, como sempre, e as jóias, um conjunto de safiras. Quando soubemos que Sarney seria o presidente, resolvemos voltar, só que os aviões estavam todos lotados. Lily pegou carona no jatinho de um amigo. Como ela gostava de viajar só com uma bolsinha pequena, pediu que eu levasse suas jóias. E saí eu de Brasília, carregando uma sacola com uma fortuna e morrendo de medo de que o avião caísse (mais pela sacola). Detalhe: na viagem Lily levou Nice, sua empregada, que ficou num quarto ao lado, encarregada de desarrumar as malas, passar os vestidos, essas coisinhas bobas mas que torturam numa viagem. Esse virou meu sonho de consumo: viajar sempre com uma Nice junto.

Durante a doença de Tancredo, fiquei plugada na TV, procurando notícias sobre a saúde daquele que considerava nosso presidente. Depois que ele morreu, nem isso; ficava em casa sem fazer nada, sem ler, sem ver televisão. Minha única distração era armar quebra-cabeças, alguns de mais de mil peças, pois procurar encaixar cada uma delas tomava todos os meus pensamentos.

Sempre que podia, ia a São Paulo ficar com Pinky, e lembro de um dia, na casa dela, em que o *Jornal Nacional* começou com o dia ainda claro — era horário de verão. Estranhei, e me dei conta de que não tinha percebido isso na minha casa porque lá eu não saía do quarto, onde ficava com as cortinas fechadas e a luz do abajur acesa.

O tempo estava paralisado. Eu não queria ver ninguém nem fazer nada, não queria morrer mas também não queria viver. Mas, como precisava, felizmente, trabalhar, continuava no programa de televisão.

Foi quando começou a campanha, empolgante, para a prefeitura do Rio. Um dos candidatos era Roberto Saturnino Braga, então do PDT de Brizola, que eu apoiava na TV da maneira mais discreta possível — e às vezes nem tão discreta. Saturnino foi o primeiro prefeito a ser eleito depois da ditadura militar, e a primeira entrevista que deu, já eleito, foi para nosso programa. Dois ou três dias antes de sua posse, que seria no dia 1º de janeiro de 1986, recebo um telefonema do próprio, me chamando de "companheira" e dizendo que agora era hora de trabalhar, se podia contar comigo. Disse que sim, claro, sem imaginar do que ele estava falando. E então Saturnino me convidou para ser presidente da Riotur. Eu sabia mais ou menos que a Riotur cuidava dos eventos da cidade, sendo o principal deles o Carnaval, e meio que só.

Nessa época eu estava tão mal que passava os dias em cima da cama, que nem era arrumada, jogando paciência com um baralho velho. Se acertasse, Nara ia ficar boa; se não acertasse, não ia. Pedi tempo para pensar, o prefeito me deu vinte e quatro horas. A saúde de Nara me preocupava enormemente, mas não havia nada que eu pudesse fazer. Pensei, pensei, e na minha ingenuidade achei que, com muita vontade de trabalhar, honestidade e amor pela cidade, tinha que dar certo. E, sobretudo, estando muito ocupada, evitaria a depressão que se anunciava. Aceitei.

Uma ou duas semanas depois recebo a visita de um velho pedetista, Wagner Teixeira, que veio me explicar o que era a Riotur. Uma companhia mista — e aí eu parei de ouvir. Jamais ia entender do que ele estava falando, nem tinha condições de aprender. Wagner sacou, e uns dez dias depois me telefona o prefeito, já empossado, dizendo que precisava ter uma conversa comigo. Marcamos na minha casa, no dia seguinte, às duas da tarde. Saturnino, constrangido, começou com um papo muito esquisito, que a mulher dele estava com ciúme de eu vir a ser presidente da Riotur. Para evitar uma crise e continuar colaborando com o partido, eu aceitaria ser vice? Saturnino é um homem íntegro, mas não acreditei numa só palavra do que me falou. Na minha opinião, Wagner disse que eu não tinha condições de assumir o cargo, e aí veio aquela conversa. Eu não estava interessada em ser presidente ou vice; só queria um trabalho que me ocupasse muito, para não pensar tanto em meus problemas. Respondi que por mim tudo bem, e Saturnino me agradeceu efusivamente, me tratando de novo de "companheira".

Fui chamada pela imprensa de "viúva Porcina" — "aquela que foi sem nunca ter sido" —, personagem de uma novela. Mas não liguei; estava triste demais para me preocupar com gozações. Saturnino soube, evidentemente, que eu não tinha condições de conduzir o cargo — e não tinha mesmo. Tempos depois, ele decretou a falência do Rio, mostrando que também não tinha condições de ser prefeito. Foi de Millôr a melhor frase sobre o nosso ex-prefeito, que continuava sendo um homem íntegro: "Saturnino, o homem que desmoralizou a honradez".

E lá fui eu. Tomei posse e comecei a me inteirar do que é o serviço público. Se você quer mandar um bilhete para alguém que trabalha na sala ao lado, esse bilhete logo se transforma num processo que precisa de um número de protocolo e leva no mínimo cinco dias para chegar. Se eu mesma levasse, o bilhete chegaria num minuto, mas não era permitido que as comunicações ocorressem dessa forma, tinha que ser da outra, com protocolo e tudo. Minha rotina era receber pessoas: o Rei Momo requisitando uma subvenção para sua fantasia, o presidente do clube dos coretos das praças pleiteando subsídio para a decoração dos coretos, a madrinha da bateria de uma escola de samba solicitando um auxílio etc. etc. Todo mundo queria subvenção, e já vinham todos com os processos prontinhos, aguardando apenas minha assinatura. Não assinei nenhum, claro, mas até aí foi tudo refresco. Duro mesmo foi quando me chamaram para uma reunião em que havia uns vinte diretores de escola de samba da pesada, cobrando os direitos autorais de seus sambas-enredos no Carnaval. Cobrando e ameaçando. Fiquei apavorada.

Até que fui avisada de que dali a trinta ou quarenta dias haveria o Grande Prêmio de Fórmula 1, no autódromo de Jacarepaguá. O problema era que as arquibancadas estavam em ruínas e, ou a Riotur fazia uma obra rapidamente, para evitar uma tragédia, ou a corrida seria suspensa, o que significaria um escândalo mundial. Para levantar uma obra, é necessária uma licitação, disso eu sabia, mas não havia tempo; e, não havendo tempo, a lei permite que a obra seja contratada em regime de urgência. Eu, que desconheço até o preço do conserto de uma torneira, fiquei com medo e, sem saber o que fazer, telefonei para o secretário de Obras pedindo ajuda. Ele foi muito gentil, mas ajuda que é bom, nada. Aí me disseram que eu deveria ir ao autódromo no dia seguinte, acompanhada pela imprensa, para ver as condições do local. Quando cheguei lá, tomei um susto: havia centenas de operários trabalhando na recuperação das arquibancadas, o que me levou a pensar que, quando alguém da Riotur ouviu a palavra *obra*, saiu correndo e tomou suas providências, já que não ia ser necessária uma licitação. Teve mais: soube que o regulamento do Corpo de Bombeiros exigia um certo número de bombeiros vestidos com uma roupa de um determinado material para, em caso de acidente, poderem enfrentar as chamas. Resolvi realizar uma licitação própria, e fui informada de que só *uma* fábrica produzia aquele tipo de uniforme e que a tal fábrica pertencia a uma alta patente do — olha a coincidência — Corpo de Bombeiros. Minha cabeça virou um pandemônio.

No meio de tanta loucura, consegui uma hora com o neurologista que sempre viajava com os pilotos, para casos de acidente. Fui encontrá-lo no hotel InterContinental, e, quando mostrei os exames de Nara, ele me olhou e perguntou: "E essa pessoa ainda está viva?". Ao sair, no elevador encontrei Ayrton Senna, a quem olhei sem entender; como uma pessoa perfeitamente sadia pode se arriscar tanto num esporte? Assim que acabou a Fórmula 1, pedi demissão, com a certeza de que nosso país jamais andará para a frente enquanto uma bomba não destruir essa burocracia. Fiquei com verdadeiro horror ao serviço público, e estava, mais uma vez, sem trabalho. Detalhe: Nelson Piquet ganhou a corrida, e Ayrton ficou em segundo; os dois receberam os troféus das minhas mãos.

10

Dois ou três meses depois, não me lembro bem onde, encontrei Daniel Filho, que me perguntou, assim, de repente, se eu não gostaria de trabalhar como produtora de arte de uma novela da TV Globo.

O trabalho me atraiu, mesmo sem que eu soubesse muito bem do que se tratava, isto é: que as produtoras de arte das novelas fazem um pouco de tudo. Antes de as gravações começarem, elas dão uma olhada geral no acervo da emissora, e saem para comprar o que falta. Roupa de cama — moderna, brega ou muito chique, dependendo do núcleo da novela a que se destina —, louça, cristais, enfeites — que podem ir desde o pingüim de geladeira a um vaso de prata (falso, claro) —, telefones, frutas de cera para a cozinha, praticamente tudo o que se vê nas cenas. E era preciso entrar em acordo com quem fazia os cenários, para que houvesse harmonia entre a decoração e os objetos. Os cafés-da-manhã — ah, os inacreditáveis cafés-da-manhã das novelas, absurdamente fora da realidade, com sucos de todas as cores, vários tipos de bolo, queijo, presunto, e fruteiras com papaias, abacaxis e cachos de uvas — também são encomendados pelas produtoras de arte, que decidem ainda o que vai ser servido nos almoços e jantares que aparecem nas cenas e que os atores, pobres atores, acabam comendo frio, claro.

Numa cena em que os personagens bebiam uísque, o gelo era um problema, pois com as luzes fortes ele derretia logo, e ficava aquele copo horrendo, suado, com aquela bebida aguada. Isso um dia foi resolvido com gelo de acrílico, uma das salvações das produtoras de arte, que ficávamos atentas a tudo, durante as gravações. Fazia parte de nossas funções também ficar de olho para que não aparecesse nada que identificasse um produto, e para isso tínhamos que providenciar rótulos falsos para garrafas de uísque e de champanhe, por exemplo. Você já reparou que nas novelas todo mundo toma suco de fruta o tempo todo? É porque, se aparecer um copo com uma bebida marrom, fica na cara que é Coca-Cola, e, se não houve um contrato de *merchandising* entre a marca e a TV, nem por hipótese o telespectador pode lembrar que a Coca-Cola existe. Tínhamos que resolver ainda questões delicadas, tipo quando o ator segurava de maneira errada o copo de vinho ou o garfo. E ator não é fácil: são — em sua maioria — vaidosos, acham que sabem tudo e que o mundo gira em volta deles.

A primeira novela que fiz foi *Sassaricando*, de Sílvio de Abreu. Sílvio é uma pessoa de astral altíssimo, a convivência com ele me fez muito bem, e, quanto mais ficávamos amigos, melhor era o trabalho. Ao contrário de outros autores de novela, Sílvio se diverte muito trabalhando.

Nessa época os preços — e o dólar — mudavam todo dia, e acho que essa foi minha fase mais negra em matéria de grana. Eu recebia o salário, ia correndo num doleiro perto de casa e comprava dólares. Dependendo do mês, dava entre oitocentos e mil dólares. Aí, todo dia eu ia vendendo, aos pouquinhos, para o supermercado, a feira — até para comprar cigarros eu trocava um dólar. Era a maneira de defender meu dinheiro, pois, se eu deixasse em moeda nacional, estava perdida.

Mas, mesmo me defendendo, o dinheiro era curto. As gravações ocorriam num estúdio no Alto da Tijuca ou em Jacarepaguá, lugares bem afastados de onde eu morava, e, para chegar lá, havia duas opções: ou eu deixava o carro na Globo, que era mais ou menos perto, e seguia numa das Kombis da emissora, no maior desconforto, junto com o guarda-roupa dos atores, a alimentação da equipe, as camareiras e um monte de gente — e ar-condicionado nem pensar —, ou ia com meu carro, passando sozinha por lugares reconhecidamente perigosos da cidade. E ainda havia a questão da gasolina; fiz na maquininha o cálculo da distância entre a emissora e o estúdio, e de quanto me custaria ir e voltar de carro, e a coisa ficou mais ou menos assim: no início do mês eu usava meu carro; no fim, a Kombi. As gravações iam das onze da manhã às sete da noite, mas nós, as produtoras, tínhamos de estar no estúdio antes, para que estivesse tudo pronto quando os atores chegassem, e saíamos mais tarde, para que tudo ficasse em ordem para o dia seguinte.

No princípio foi curioso; ver uma novela sendo gravada, perceber a competição entre as atrizes — todas com ar de santa —, cada uma tentando se posicionar mais de frente para a câmera, numa fogueira de vaidades sem limites, e depois conferir o resultado do trabalho na TV, isso quando chegava em casa a tempo.

Mas o trabalho é cansativo. Quando, durante a gravação de uma cena, sentávamos num caixotinho qualquer para descansar, o diretor passava e dizia: "Nada de sentar, para não perder o pique". Nós nos levantávamos imediatamente e ficávamos inventando o que fazer, "para não perder o pique". Um dia em que eu não tinha ido de carro, estava mal, frágil, física e psicologicamente, sem condições, portanto, de voltar na tal da Kombi, com aquele monte de gente que falava sem parar. Quando o diretor, com quem eu tinha boas relações, saiu e passou por mim, eu perguntei — na verdade, quase implorei: "Será que você pode me dar uma carona até um ponto de táxi?". A resposta foi: "Não vai dar". De certas coisas a gente não esquece; essa é uma delas.

Sílvio e eu fomos ficando cada vez mais amigos, e, depois que *Sassaricando* acabou, fiz *Bebê a Bordo*, de Carlos Lombardi, e *O Dono do Mundo*, de Gilberto Braga. O trabalho com

Gilberto era diferente — os horários também. Gilberto se enredava na psicologia dos personagens, trabalhava à noite, e as reuniões começavam às seis da tarde, hora em que acordava. Foi também um grande prazer trabalhar com ele, que é muito educado e gentil.

Continuei muito amiga de Sílvio, que mais tarde me chamou para fazer *Rainha da Sucata*. Ele achava — sem razão — que não conhecia o mundo dos ricos, e queria que eu desse uma assessoria a esse núcleo da novela. Adorei o convite. Sílvio é extremamente disciplinado. Quando está escrevendo, acorda cedíssimo, e às sete da manhã já estava me ligando para discutir cenas dos personagens ricos da história. Com o tempo, ele foi vendo que eu entendia também do mundo dos pobres, e eu procurava colaborar em tudo o que pudesse. Ele me mandava (antes de mandar para a Globo) os seis capítulos que escrevia por semana, e eu lia todos atentamente, para ver se não tinha havido alguma distração, um personagem na cena errada, por exemplo. Raras vezes tive de corrigir alguma coisa, já que Sílvio é de uma atenção inacreditável: por ele não passa na-da.

É incrível como as coisas mudaram de quinze anos para cá. Lembro de uma vez em que o dia da semana em que Sílvio devia me mandar os capítulos era feriado. Como não havia malote ou coisa parecida, ele me perguntou, morrendo de vergonha, se eu não poderia ir a São Paulo pegar os capítulos e voltar para o Rio logo em seguida, para não haver atraso nas gravações. Foi o que fiz, vapt-vupt.

Na época da *Rainha da Sucata*, propôs que eu tentasse escrever umas cenas da novela. Eu disse que não, claro, nunca havia escrito nada, não sabia escrever, não, não e não. Ele pediu à Globo que mandasse um computador para minha casa — computadores, apesar de toscos, já existiam —, e eu não quis nem saber de aprender; devolvi, e pronto. Quem sabe o mundo não perdeu uma grande autora de novelas? A verdade é que o trabalho e a convivência com Sílvio me ajudaram a voltar a viver, fizeram com que eu me recuperasse das tristezas, me interessasse pelas coisas.

Eu era contratada por obra certa, isto é, para uma novela de cada vez, e os contratos tinham, sempre, a mesma duração: nove meses. No intervalo entre a última novela e a que estava fazendo naquele momento, *Deus nos Acuda*, eu havia escrito meu primeiro livro, *Na sala com Danuza*, que já era um sucesso, e jornais e revistas me procuravam para entrevistas. Faltavam apenas três meses para acabar meu contrato, quando um dia recebi um telefonema da Globo dizendo que eu estava demitida. Assim, por telefone e sem explicações. Não entendi, perguntei a razão, e tive o indefectível "ordens lá de cima" como resposta. Minhas relações com Sílvio continuavam ótimas, e, quando liguei para contar, ele também ficou perplexo. Mas tive minhas suspeitas e, depois, umas informações. No domingo anterior, tinha dado uma entrevista para o caderno de TV do *Estado de S. Paulo* na qual perguntavam meus programas preferidos, essas coisas. Nas minhas respostas a Globo pouco aparecia, e, no quesito telejornal, a resposta foi "o do Boris Casoy", que era do SBT. Isso, na Globo, costuma dar demissão — e deu.

A saúde de Nara ia piorando; por recomendação de seu neurologista, em 85 ela foi a Nova York com o namorado, Marco Antônio Bompet, fazer uma ressonância magnética, exame que ainda não existia no Brasil. O resultado confirmou o que havia dito o neurocirurgião carioca: o tumor era inoperável, devido à sua localização. Nara começou, então, a radioterapia; não houve grande perda de cabelo, e ela parecia não se incomodar muito com o fato de isso vir a acontecer (mas eu peguei uma tesourinha de unhas, cortei meu cabelo bem curto, e só fui entender o porquê muito tempo depois). Até que um dia, através de um amigo de um amigo, se soube de um tratamento alternativo, espírita, com um juiz de direito que atendia em Petrópolis e, diziam, fazia curas milagrosas. Nara foi aconselhada por ele a não andar de avião, evitar certos alimentos, e a verdade é que o tumor regrediu, e muito. Ficamos todos animados e novamente esperançosos. Dois amigos dela faziam o mesmo tratamento, com a mesma pessoa: Flávio Rangel e Dina Sfat. Durante uma boa temporada Nara esteve muito bem, mas a morte de Flávio, em 88, e a de Dina, em 89, foram um choque para ela, que começou a piorar visivelmente. Continuávamos morando perto, e eu ficava com Nara durante o dia. Servia mais de companhia, pois ela, prostrada, mal conversava, e na hora das crises dizia que via estrelinhas. Ter notícias do que ocorria no mundo era o que menos lhe interessava.

Num dia de maio de 89 eu estava com Nara quando ela teve uma crise séria. Ficou grogue, sorria mas não conseguia falar nem andar, caía no chão e se debatia. Telefonei para Bruno e pedi a ele que viesse logo, pois achava que era caso para internação; eu queria evitar o terror de uma ambulância, mas não tinha condições para levá-la sozinha. Ele veio, levamos Nara praticamente no colo pelo calçadão de Copacabana até o carro e fomos para a Casa de Saúde São José. Foi o princípio do fim.

O médico recomendou que eu não ficasse no hospital o tempo todo, pois não agüentaria; sugeriu que fizesse um rodízio com algumas amigas de Nara que tivessem tempo disponível. Assim foi feito; cada uma de nós ficava quatro horas no hospital e só saía quando a outra chegava.

No começo Nara estava com os olhos abertos, respondendo ao que se falava, mas foi apagando. Eu segurava sua mão, e ela apertava um pouquinho; eu dizia umas coisas para animá-la, e ela apenas movia os lábios, como se estivesse entendendo, com um início de sorriso. Eu cortava as unhas dela, fazia depilação, ajeitava o cabelo e passava blush em seu rosto quando Marco Antônio estava para chegar, mas ela cada vez respondia menos aos estímulos. E a imprensa não dava trégua, pelo telefone, querendo saber tudo — principalmente detalhes.

Um dia Marieta (Severo), que era grande amiga de Nara, foi visitá-la à noite; estávamos na sala de espera do andar, quando saiu do quarto o médico, com dois assistentes, e me chamou para conversar numa salinha. Fui, ele deve ter dito que o fim estava perto, mas, como eles nunca falam muito claramente e eu não queria mesmo ouvir, quando Marieta me perguntou o que era, eu disse que nada de mais, conversa de rotina. Era realmente o que eu havia achado.

Nara entrou em estado pré-comatoso e, pouco depois, em coma. Na prática, ela dormia o tempo todo, mal se mexia, e só. Certa manhã, foi visitá-la uma grande amiga, Helena Floresta. Ficamos sentadas no sofá ao lado da cama, falando baixinho mas sempre com um olho em Nara. De repente Helena disse: "Eu acho que ela parou de respirar, vamos chamar a enfermeira, depressa". Nara tinha acabado de morrer.

Os hospitais são de uma eficiência cruel. Fui telefonar para Isabel e Francisco, os filhos de Nara, para Marco Antônio, Cacá Diegues e Pinky — Bruno estava fazendo um trabalho no Japão, não havia celular, e eu não tinha como localizá-lo —, e, quando voltei, Nara não estava mais no quarto. Era preciso tomar as providências dolorosas e afastar a imprensa, que poderia ser um pouco mais discreta nessa hora, mas nunca é. No cemitério São João Batista as capelas estavam todas ocupadas, o que trouxe o problema: ou um velório na capela do próprio hospital, com enterro às quatro da tarde, ou levá-la para a capela do cemitério na manhã seguinte, e enterro às onze da manhã. Quem tinha que resolver era eu.

Ah, como eu queria alguém que decidisse por mim: só que não tinha. Pensei — nem tive muito tempo para pensar — e optei por fazer tudo naquele dia mesmo. Àquela altura as rádios já estavam tocando os discos de Nara, e o que me levou a essa escolha foi imaginar a agonia que seria aquela noite, e o dia seguinte, com os fãs se empurrando e cantando "A banda" durante o enterro. Nara era reservada, teria preferido assim, pensei, e assim foi feito.

Pinky veio de São Paulo. Nara foi enterrada no mesmo jazigo que Samuca, e do cemitério fui dar a notícia a minha mãe. Ela fora ver Nara no hospital uma única vez e tinha dito que não voltaria, não queria ver a filha naquele estado, por isso achei que tampouco iria ao enterro. Como é que você anuncia a uma mãe a morte da filha dela? Enrolei um pouco as palavras, abracei-a, e felizmente uma sua irmã — uma santa, Rosina — veio na mesma noite para ficar com ela, e com ela ficou morando. Cacá se encarregou de Isabel e Francisco. Uns dias depois mamãe me pediu que chamasse Marco Antônio para ir à sua casa e lhe deu de presente o violão de Nara.

Então fomos, Isabel e eu, à casa de Nara, esvaziar os armários, separar o que devia ser guardado, o que devia ser dado a alguma amiga, à empregada, ao porteiro. Eu já havia feito isso com os armários de meu pai, sabia do massacre que era. O de Samuca deleguei a Helô, era demais para mim. Isabel tinha dezoito anos, e Francisco, dezesseis. É arrasador entrar numa casa e aquela pessoa não estar mais lá, e ver tudo o que foi comprado com amor, tudo o que faz uma vida, se acabar de um momento para outro.

É muito ruim também a sensação de ver sua família diminuindo. Eu ia sempre visitar minha mãe, que adorava que eu fosse, mas nunca falávamos em Nara. Muitas vezes ela me perguntou se eu não queria dormir lá, mas eu sempre precisei voltar para casa, o único lugar em que me sinto protegida. É incrível como parecemos com nossas mães, querendo ou não. O tempo passou, e nunca mais consegui ouvir um disco de Nara.

Estávamos em 89, e minha mãe foi envelhecendo cada vez mais rápido. Teve uma fratura no fêmur, da qual se recuperou bem, e certa vez, ao se submeter a uma cirurgia banal, teve um problema de falta de oxigênio no cérebro, e a cabeça começou a ratear.

Eu estava mais uma vez sem trabalho, e sem perspectiva nenhuma. E tão triste, que não sabia o que fazer da vida. Aí um dia, a troco de nada, Bruno me aconselhou a ir ao astrólogo dele. Astrólogo? Mas para quê? Eu nunca fui muito dessas coisas, e meu futuro era tão incerto que eu não queria nem perder tempo com essa história de mapa astral. Mas Bruno insistiu, e, como tudo o que ele me manda fazer eu faço, fui.

Waldemar Falcão é seu nome. Ele perguntou o dia e a hora do meu nascimento, o local, fez lá seus cálculos e disse, entre outras coisas, que Plutão — planeta que anda muito devagar — estava em cima da minha casa havia doze anos e que ainda ia permanecer mais dois, mas que, a partir daí, minha vida ia mudar. Eu ia ficar muito conhecida, ia ganhar dinheiro, ia ser famosa. Perguntei se iria me casar com um milionário, e ele disse que não, não era por aí. Claro que não acreditei, e me esqueci completamente do assunto.

A essa altura os filhos de Pinky já estavam grandes, e ela começou a pintar; fazia aquarelas, um trabalho muito delicado, já que não pode ser corrigido, como a pintura a óleo. Expôs seu trabalho com muito sucesso, depois entrou em projetos gráficos, montou instalações nas ruas de São Paulo, e aprendeu tudo sozinha. Pinky tem um talento enorme, um bom gosto extraordinário para tudo, e é sempre cheia de idéias. Tantas que um dia, conversando com ela sobre minha vida profissional, pedi uma sugestão sobre o que poderia fazer, e ela me disse para escrever um livro.

E um parêntesis aqui para registrar que é a Pinky que se deve o livro de Samuel. Antes de morrer, ele tinha gravado várias fitas contando sua história, pretendendo, tudo indicava, escrever seu livro. A morte veio antes, mas Pinky considerava fundamental lançar um livro para que conhecessem a história de seu pai. Mandou transcrever todas as fitas, processo longo, penoso e trabalhoso cujo resultado foi um livro esplêndido, um grande best-seller que colocou Samuel no lugar que ele merecia na imprensa brasileira.

Quando Pinky me disse: "Por que você não escreve um livro?", achei até graça. Nunca havia escrito nada na vida, não sabia escrever, e escrever o quê? "Por que não um livro de etiqueta?" Mas etiqueta? Logo eu, que sou tão sem modos, que só faço o que quero, sem me ligar a nada que seja "o mais apropriado"? Ela então sugeriu que eu contratasse um *ghost-writer* e desse as dicas. Como tudo o que Pinky manda eu também faço, por que não? Fui a uma livraria e comprei todos os livros que encontrei sobre o assunto. Comecei a ler e me diverti muito com o ridículo das situações e dos ensinamentos. Não, a vida não poderia ser levada daquela maneira.

Fui à papelaria, comprei um monte de fichinhas de cartolina, várias canetas, e fui relendo os livros e registrando o que achava de cada assunto. Claro, sempre pensando que o *ghost-writer*, que ia ser o jornalista Eduardo Logullo — outra sugestão de Pinky —, redigiria o livro. Nós já nos conhecíamos, ele havia feito uma boa entrevista comigo para uma revista cujo nome esqueci. Eis que um dia, passando um fim de semana fora, tirei um livro da estante, um qualquer, para ler na cama. Era *O livro dos insultos*, uma antologia de máximas do jornalista americano Henry Louis Mencken. Fui me apaixonando pelo livro, até que li a frase que mudou minha vida: que os colégios ensinam mal, não se deve ensinar uma criança a escrever, mas a pensar, porque quem pensa escreve. Fiquei matutando: como assim, quem pensa escreve? Então vou pensar minhas coisas e passar para o papel do jeito que eu penso, e vamos ver no que vai dar. Pinky foi a responsável por minha nova profissão, mas sem ter a menor idéia se eu tinha capacidade ou não para escrever.

O original ficou pronto em quarenta dias; peguei um avião, fui para a Europa e deixei tudo com Logullo, para que ele fizesse o seu trabalho. Voltei um mês depois e perguntei: "Então, tudo pronto?". Ele me disse que não havia feito nada. "Como, não fez nada?" Ele não havia feito nada, disse, porque o livro estava pronto. Levei um susto. Jamais teria ousado escrever algo se não soubesse que alguém redigiria posteriormente. Pois foi assim que as coisas aconteceram.

Na sala com Danuza vendeu muito, muito mesmo, mas eu ganhei pouco, porque eram os tempos de Collor, em que a inflação chegou nas alturas, e a editora me pagava a cada noventa dias o valor de noventa dias antes; mas tudo bem.

Esse sucesso foi uma enorme surpresa; nem em meus sonhos mais delirantes eu poderia imaginar que aquele lançamento iria ser o que foi. Pois foi, e a partir daí minha vida mudou, mais uma vez, e virou um tumulto. Começaram a chover convites para palestras em todo o país, e eu, que nunca tinha feito nenhuma, fazia e aprendia na marra. Era trabalho, e não se deve desperdiçar nenhum convite para trabalhar. O sucesso, quando é inesperado e muito grande, pode fazer as pessoas pirarem, e eu quase pirei. O telefone não parava, jornais, revistas, TV e rádio queriam entrevistas minhas, e nessa onda viajei quase pelo Brasil inteiro.

Como se isso não bastasse, assim que o livro foi lançado, fui convidada para escrever uma crônica semanal no *Estado de S. Paulo*, outra na *Contigo!* e outra, ainda, no *Jornal do Brasil*. Aceitei todas e, quando me disseram: "Por volta de três mil toques", pensei em desistir de todas. Meu livro havia sido escrito numa máquina de escrever, eu não tinha noção do que era uma matéria de um determinado tamanho e não tinha computador. Mas era uma chance que não podia perder; aceitei e comecei as três na mesma semana. Comprei um Macintosh, passei a tomar aulas e quase enlouqueci. Tinha dias que queria jogar o computador pela janela, tal meu desespero, mas fui em frente e aprendi. A coluna do *JB* fez um sucesso maior do que se esperava, me pediram mais uma por semana, e aceitei; o sucesso foi aumentando, o *JB* me pediu uma terceira, e também aceitei; com mais a do *Estado* e a da *Contigo!*, eram cinco por semana, nem sei como conseguia. Uns quatro meses depois, Bruno tem um estalo e me diz: "Lembra do Waldemar?". Eu havia esquecido, mas aconteceu tudo exatamente como ele tinha previsto, no prazo que ele dera.

Até escrever o livro, sempre que chegava num hotel e tinha de declarar a profissão, eu titubeava, sem saber como preencher o item, e uma ocasião, de brincadeira, botei "do lar". Mas de uma hora para outra, e pela primeira vez na vida, eu tinha uma profissão de verdade; foi muito inesperado esse meu novo recomeço, numa idade em que as pessoas já estão se aposentando. Foi muita coisa em muito pouco tempo para minha cabeça, mas fui em frente.

Essa mudança de vida teve início em outubro de 92, quando saiu o livro. Em junho de 93 recebi um telefonema do *Jornal do Brasil*: era um convite para assumir a coluna de Zózimo, que havia sido cronista social do jornal por vinte e cinco anos e tinha ido para *O Globo*. Era muita responsabilidade; Zózimo era o melhor colunista do Brasil, e eu não tinha idéia de como se faz uma coluna. Fiquei apavorada. Apavorada, mas aceitei. Nesse momento, já era uma pessoa quase normal.

Até ser colunista, minhas crônicas eram mandadas por fax, mas, quando assumi a coluna, passei a fazer parte da redação; da mesma redação onde, alguns anos antes, circulava Samuca. Quantos vieram falar comigo, me dizer que tinham sido colegas de Samuca, que o adoravam. Um dia me dei conta de que fui trabalhar nas duas últimas empresas em que Samuca havia trabalhado: TV Globo e *Jornal do Brasil*. Era como se estivesse seguindo seu rastro.

Fui indo, aos trancos e barrancos, mas indo e aprendendo. Numa noite de sexta-feira, ao chegar em casa, recebi um telefonema da acompanhante de minha mãe. "Dona Danuza, por favor, venha para cá." Não houve meios de ela me dizer o que era, mas desconfiei. E era o que eu tinha previsto: minha mãe havia morrido, mansamente, tranqüilamente, como viveu.

Pinky e Bruno vieram logo. O anúncio da morte de mamãe saiu assim: "A família de Altina Lofego Leão etc.", sem meu nome nem o de ninguém da família. Com a minha posição no *JB*, fiquei com receio de que, se botasse meu nome, aparecessem pessoas que não eram minhas amigas, viessem apenas porque eu era colunista social. O enterro foi na manhã seguinte, e fiquei espantada quando vi minha mãe no caixão. Seus olhos não estavam totalmente fechados, e eram verdes, verdes, mais verdes do que eu jamais percebera, talvez por causa dos óculos de lentes grossas que ela usava. E como estava bonita; parecia que tinha remoçado trinta, quarenta anos.

E lá fomos nós, Pinky, Bruno e eu, sepultar minha mãe perto de Samuca e Nara. Quando estávamos voltando, tive um acesso de choro, o acesso que não tivera nas mortes anteriores. Era um soluço tão fundo e tão sofrido, como nunca pensei que pudesse ter. As mortes são todas dramáticas — e eu tinha assistido a muitas, em muito pouco tempo —, mas morte de mãe faz você se sentir totalmente desamparada. Agora sabia o que é ser órfã, e, no meu inconsciente, a próxima seria eu. Pedi a Deus que assim fosse, para que eu nunca mais tivesse de levar alguém àquela sepultura.

Na segunda-feira voltei à redação, e poucos no jornal souberam que minha mãe havia morrido.

11

Na Globo eu havia tido, pela primeira vez, a experiência de trabalhar numa grande empresa, onde eu lidava com muita gente, de todas as idades e classes sociais; fui então tomando conhecimento de que muitas daquelas pessoas também viviam seus dramas, eu não era a única. Uma tinha perdido o irmão com AIDS; o pai de outro estava numa cama havia anos, em estado vegetativo; outro perdera a mulher e o filho num acidente; outra tinha visto o pai assassinar a mãe, e por aí afora. Ainda assim, elas acordavam, trabalhavam, iam ao cinema, sorriam, eram gentis; a vida para elas continuava, mesmo com sofrimentos. Minhas tristezas eram mais recentes e mais públicas, mas ninguém ficava enxugando minhas lágrimas nem me ouvindo contar as coisas por que eu havia passado, pois o trabalho precisava ser feito, e cada um tinha que fazer o seu, sofrendo ou não.

Isso me ensinou e me ajudou muito. Sobretudo a não pensar que eu era a única a sofrer no mundo; via que todos tinham seus sofrimentos, que estes não eram privilégio meu. O fato de as pessoas me tratarem de maneira normal me levava, automaticamente, a agir como elas, e me fez, com o passar do tempo, viver sem achar que detinha o monopólio da dor. Essa consciência se manteve quando fui trabalhar no *Jornal do Brasil*.

Quando assumi a coluna social do *JB*, minha vida virou pelo avesso; foi um novo início — mais um. Eu já sabia o que era uma redação, dos tempos da *Última Hora*, mas lá eu era uma estranha no ninho, mulher do dono, que ficava no aquário, sentada, esperando pelo marido. Não sei se o aquário foi uma invenção de Samuel ou se já existia em outros países, mas no Brasil o sistema foi inaugurado na *Última Hora*: em vez de se confinar o editor-chefe numa sala fechada, trocaram-se as paredes por divisórias de vidro; assim, Samuel via toda a redação e era visto por todos, o que os aproximava. E detalhe: a porta da sala dele ficava, permanentemente, aberta. A fórmula foi depois copiada por quase todos os jornais.

Uma redação é um lugar estimulante, vibrante, e a do *Jornal do Brasil* era apenas o máximo. E o trabalho exigia tanto de mim que eu não tinha tempo para pensar em nada, nem para ficar triste. Aos poucos fiz amigos, amigos que vinham bater um papinho, contar uma novidade, uma fofoca; jornalistas são especialistas no setor e sabem de tudo antes. Quando voltava para casa, estava tão cansada que só pensava em cair na cama e dormir. Isso quando não tinha um compromisso a que não podia faltar, por ser parte do meu trabalho de colunista. Aí eu tomava um banho rápido, me vestia e ia.

Detalhe: no *JB* eu ganhava muito bem, umas quinze vezes mais do que na Globo. Às vezes não acreditava no meu salário; logo eu, que me acostumara a viver numa dureza absoluta. Além disso, tinha direito a duas passagens por ano para qualquer lugar do mundo, em classe executiva. Quando eu viajava, mandava ver no cartão de crédito; quando voltava, outro salário já estava depositado, mais que o suficiente para pagar meu cartão. Felizmente, nunca me deslumbrei: desde os tempos da pobreza, passando pelo da fartura, até hoje, quando vivo uma vida confortável, meu hotelzinho em Paris (duas estrelas) continua o mesmo e os restaurantes que freqüento também; perco um pouco a cabeça na hora das compras — já que sou uma pessoa razoavelmente normal. Mas só compro o incopiável, pois, quando volto, quase tudo o que vi por lá já está sendo vendido nos camelôs daqui.

É difícil ser colunista; se você for sensível a uma tentativa de corrupção — que pode vir de várias maneiras, e elas vêm sempre —, você se ferra. São ofertas de viagens pelo mundo, jantares fabulosos, vestidos que chegam em caixas na sua sala, viagens em jatinho, semanas em spas, tudo o que se possa imaginar — e de graça. Se você não tiver a cabeça feita, pode se deslumbrar, e daí para o tombo é só uma questão de tempo. E sua reputação como jornalista estará perdida para sempre.

Bem, só havia um pequeno problema: eu não sabia fazer coluna. Desconhecia até a coisa mais elementar: que, para fazer uma coluna, é preciso ter fontes. Fontes são os amigos (ou profissionais) que passam as notas para os colunistas. Mas fontes a gente só consegue com o tempo, e fazia nove anos que eu vivia reclusa, não via ninguém; que fontes eu tinha? O vendedor de coco da praia? E tem mais: se a coluna é boa, as fontes aparecem; se não é, as notas são passadas para outro colunista. E tem mais ainda: é preciso que a fonte seja de confiança. Geralmente, quando uma fonte liga para um colunista para dar uma nota, é para favorecer alguém ou prejudicar outro alguém. É raro cair uma boa nota no seu colo sem nenhum interesse oculto. E o mais difícil: como confiar numa fonte? Também só com o tempo. Dependendo da nota que ela passa, um negócio que está sendo feito pode melar ou ser concluído, e, se a nota não for verdadeira, pode acabar com o capital mais importante de um colunista: a credibilidade. Fui aprendendo devagarzinho.

Eu tinha sempre duas pessoas que trabalhavam comigo (que eram trocadas com freqüência, pois o jornalismo é uma profissão de alta rotatividade) e que, teoricamente, deveriam trazer notas boas para a coluna — além das minhas, é claro. Mas às vezes o assistente tinha um amigo que tinha seus interesses, o assistente não percebia, e, quando eu me dava conta, entrava uma nota que não era para entrar. E — justiça seja feita —, por mais que uma coluna procure ser isenta e imparcial, somos todos humanos, temos nossas simpatias e antipatias, e isso numa coluna fica logo evidente. Era preciso estar atenta o tempo todo, o que cria uma tensão, é claro. Uma por dia, aliás, duas: a primeira, quando você fecha a coluna e vai para casa na dúvida se fez ou não um bom trabalho, e a segunda, quando você abre o jornal de manhã e vê a coluna impressa.

O mundo dos altos negócios era uma incógnita para mim, e é aí que uma coluna pode se ferrar; procurei então ficar fora dele e cair no social nu e cru, com um pouquinho de política para dar um tempero.

Como não se podem obter notas confiando apenas nas fontes, mergulhei de cabeça no mundo dos jantares e festas. Ia a tudo, levava um bloquinho para não esquecer nada e descrevia os acontecimentos a que os leitores, de maneira geral, não tinham acesso. Algumas pessoas adoravam sair na coluna; outras tinham verdadeiro horror, sobretudo os muito ricos. E o pior é que as pessoas que mais me interessavam eram as mais inacessíveis, as que não queriam ver seus nomes publicados em jornais; muitas até pediam para não ser citadas, por pavor de seqüestro ou talvez por medo de que um amigo pedisse dinheiro emprestado, essas coisas de gente rica. É assim: os pobres querem passar por ricos, e os ricos querem passar por pobres.

Durante nove anos tive, por dever de ofício, de ir a estréias de shows, a coquetéis, jantares, festanças. Era obrigada a me vestir, me pentear, me maquiar, falar com as pessoas, sorrir, ser gentil. Trabalhava no Natal, no ano-novo, no Carnaval, e em todos os feriados e dias santos; afinal, um jornal é diário. Em nenhum momento fui a um só desses lugares por prazer. Mas essas atividades me ajudaram a retomar o que dizem ser uma vida normal.

•

Já estava fazendo a coluna havia um ano quando o jornal me mandou a Brasília cobrir a posse do presidente Fernando Henrique Cardoso, no dia 1º de janeiro de 1995. A posse oficial era à tarde, no Congresso, para onde fui logo depois do almoço, e a festa seria à noite. Estava perdida naquele labirinto, sem encontrar o local reservado à imprensa, quando surgiu José Serra, que assumiria a pasta do Planejamento. Serra, que eu conhecera garoto em Paris, entrava com Sérgio Motta no recinto das autoridades; houve o "oi, oi, há quanto tempo", eu expliquei minha situação, e ele me disse para acompanhá-los. O segurança ainda fez um gesto para me barrar, mas Serra confirmou: "Ela está conosco". Resultado: assisti à cerimônia de posse junto com todos os ministros, a três metros do novo presidente.

Com Fernando Henrique foi uma simpatia imediata, que continua. Não cheguei a conhecer Getulio, que morreu dois meses depois do meu casamento, mas sei que teria gostado muito dele. Nunca conheci Collor e jamais cheguei perto de Lula — nem me interessa.

Como no hotel não havia ninguém para passar meu vestido da festa, o jeito foi alguém levá-lo à casa do chefe da sucursal em Brasília para que a empregada dele quebrasse o galho. Foi uma festa linda — também, com aquele cenário —, e a peruagem, geral e absoluta. Não me lembro de ter conseguido tomar nenhuma bebida, nem água, e comer nem pensar. As caras conhecidas eram poucas, pois ninguém nunca tinha visto os novos deputados com suas esposas. Tinha tanta gente, mas tanta gente, que não vi um só membro do novo governo; devem ter todos se escondido numa sala privada, no que fizeram muito bem. Terminamos a noite, eu e alguns colegas do *JB*, em pé, em frente a uma carrocinha perto da rodoviária, comendo o que nos pareceu ser o melhor cachorro-quente do mundo e bebendo uma Coca-Cola — diet.

Dr. Nascimento Brito, na época o dono do *Jornal do Brasil*, era um lorde. Muito elegante, muito educado, sempre deu total liberdade aos jornalistas, que escrevessem o que quisessem. A coluna vivia inventando modas, e um dia pensei que seria justo homenagear Tom Jobim, que havia morrido alguns anos antes, trocando o nome do Aeroporto do Galeão por Aeroporto Internacional Maestro Antonio Carlos Jobim. Só que essa invenção virou uma campanha; quase todo dia saía uma nota dizendo que o aeroporto tinha de mudar de nome; que, na hora em que os aviões pousassem, deveria tocar o "Samba do avião" — "Minha alma canta, vejo o Rio de Janeiro" —, e por aí.

Começaram a nos enviar cartas de apoio, e, quanto mais recebíamos, mais notas escrevíamos, até o dia em que dr. Brito me chamou na sua sala, no nono andar — uma sala enorme, andei mais ou menos dois quilômetros para chegar à sua mesa. Aí ele me disse, com sua voz suave, que eu tinha que parar com a campanha. Parar com a campanha? Mas como, de repente, não falar mais de um assunto que era a cara da coluna? E os leitores, e os apoios que eu estava recebendo? Dr. Brito, mansamente, me disse que o *Jornal do Brasil* tinha, desde que fora fundado, uma posição: era contra a alteração do nome de qualquer logradouro. Eu não precisava parar de repente, mas que fosse diminuindo a freqüência com que falava do assunto; os leitores iriam esquecendo, e pronto. E terminou com esta pérola: "Esse rapaz [Tom Jobim], minha filha, lá fora ninguém sabe quem é; só aqui algumas pessoas o conhecem". Diante disso lembrei que manda quem pode, obedece quem tem juízo, e eu não ia convencer dr. Brito de que "Garota de Ipanema" era a segunda música mais gravada no mundo, até porque ele não ia acreditar.

Fiz o que ele mandou, mas já era tarde, e alguns meses depois tive a honra de ser convidada pelo presidente Fernando Henrique para ir a Brasília assistir ao ato em que ele assinaria a mudança do nome do aeroporto para Maestro Antonio Carlos Jobim.

A redação fervia — redações fervem sempre; e, excetuando a falta de alimentação, era tudo muito bom. O almoço eram barrinhas de cereal ou pães de queijo, as únicas coisas comíveis da lanchonete; não sei como não morri de inanição.

Depois de tantos anos vivendo numa espécie de buraco negro, eu começava a ver a luz. Não sei se o trabalho me ajudou a melhorar ou me forçou a melhorar, mas fiz amigos, gostava do que fazia e não tinha tempo para pensar. Mas não era só por falta de tempo que não era mais tão infeliz; eu estava realmente voltando à vida.

Um dia o editor do *JB* me chamou e perguntou se eu gostaria de ir para os Estados Unidos, junto com a equipe, cobrir a Copa do Mundo de 94. Vibrei; ah, como vibrei. Gostava de futebol, e tinha assistido com meu pai a todos os jogos da famosa Copa de 50, no Maracanã, quando perdemos para o Uruguai por 2 x 1, tristeza que guardo na memória como se tivesse acontecido ontem.

Eu era a única mulher da equipe; a seleção ficou em Los Gatos, e eu em San Francisco, com a obrigação de mandar uma coluna diária até o fim da Copa. E com um carro alugado (sem motorista) para poder me deslocar para as pequenas cidades onde aconteciam os jogos. Do carro, desisti logo; falo mal inglês, não entendia os sinais de trânsito dos Estados Unidos, entrava nas auto-estradas certas mas na direção contrária, e para voltar era um caos. Então comecei a pegar carona para ir aonde estava a seleção. Como havia dezenas de jornalistas, e todos meio que se conheciam, isso não foi um grande problema. Bom mesmo foi quando chegaram Lúcia e Paulo Tarso Flecha de Lima, nossos embaixadores em Washington. Eu conhecera os dois ainda solteiros, quando Paulo Tarso era chefe de gabinete do embaixador Sette Câmara, o primeiro governador do estado da Guanabara.

Comecei a ir a todos os jogos com eles, o que, além de ser um grande conforto, me dava não só o direito de passar um pouquinho da água benta que Lúcia carregava com ela, para dar sorte (também para dar sorte, ela se vestia sempre de amarelo), como o de entrar em todas as salas VIPS, o que facilitou enormemente meu trabalho. Fomos a Detroit, onde vimos o jogo do Brasil com a Suécia (um sufoco, lembra?), e a Dallas, duas cidades muito estranhas. E rumamos enfim para Los Angeles, para a gloriosa final entre o Brasil e a Itália — aquela que foi decidida nos pênaltis, Baggio perdeu o dele, e o Brasil ganhou a Copa.

Lembro que durante os jogos os grandes entendedores de futebol reclamavam, injuriados, que Romário quase não saía do lugar. Eles, que sabiam de tudo, não percebiam que, por ter uma ligação mágica com a bola, Romário não precisa se concentrar, ir aos treinos ou correr no campo; fica parado, e a bola vai para os pés dele, como se suas chuteiras tivessem um ímã. Aí ele chuta, e é gol; grande Romário.

Nos estádios americanos é proibido fumar; imagine o nervosismo, na hora dos pênaltis. Mas todos fumamos, dispostos a ser presos, e até a enfrentar a cadeira elétrica, se fosse o caso, pois era impossível segurar a tensão.

Fomos tetracampeões mas não pudemos nem festejar, pois tínhamos que escrever e mandar a matéria logo depois do jogo. Era assim: a cada jogo do Brasil, o *JB* (e todos os outros jornais) reservava passagens para quase toda a equipe, pois, se o Brasil perdesse, não havia razão para ficarmos nos Estados Unidos. O Brasil ganhava, as reservas eram canceladas, e a coisa se repetia, de jogo em jogo; mas, na final, fosse qual fosse o resultado, voltaríamos todos. Por isso, os aviões estavam lotados, e a volta foi um problema; enfrentamos filas de espera, sem saber se conseguiríamos embarcar, mas voltamos, e nunca vi viagem tão animada. No dia seguinte estávamos de novo, firmes, no batente. Com saudades da redação, que tinha se tornado uma segunda família, e loucos para contar as novidades.

Em 98 fui convocada para a Copa do Mundo na França; aí foi bom demais. Fiquei dois meses em Paris, hospedada num hotelzinho em Montparnasse, pertinho da Coupole, e de novo tendo que mandar uma coluna diária para o jornal. Centenas de jornalistas brasileiros farejando notícias, tendo acesso à concentração, o que ia sobrar para mim? Quando eu acordava, abria o computador e via aquela tela em branco, queria cortar os pulsos. Começava a telefonar, mas, se ter fontes no Brasil já era difícil, imagine em Paris.

É bom viajar, eu adoro, mas a vida de turista não é fácil; o dia é longo, nem todo mundo tem a curiosidade de conhecer todos os museus, todos os pontos turísticos — eu não tenho. Então, viajar trabalhando é a melhor coisa do mundo, e, se for para Paris, melhor ainda. Foram dois meses inesquecíveis, com o dólar a um real, portanto tudo baratíssimo para nós, brasileiros. Um tempo lindo — pleno verão —, e a noite chegando às nove e meia, dez horas. O último jogo começou luxuosamente, com um grande desfile de Saint Laurent no gramado. Depois, ocorreu aquilo que até hoje não se desvendou: Ronaldo parado em campo. E nós tentando mandar notícias para o Brasil, sem idéia do que aconteceu naquela tarde fatídica. Mas de uma coisa tenho certeza: se Romário tivesse sido escalado, a Copa teria sido nossa. Com a França campeã do mundo, naquela noite mal pudemos dormir, tal a barulheira nas ruas.

Voltamos, a vida continuou caminhando, mas os problemas financeiros do *Jornal do Brasil* começaram a atingir a redação. O editor-chefe mudava constantemente, os salários atrasavam, o décimo terceiro era depositado meses depois do fim do ano, e havia os boatos, uns três por dia, todos diferentes: o prédio do *JB* ia ser alugado, o jornal ia ser vendido para tal ou tal grupo etc. etc. Um dia a redação resolveu fazer um protesto contra o atraso dos salários, e fomos todos de preto para o trabalho — afinal, nossas contas precisavam ser pagas. Mas mesmo assim adorávamos o *JB*, pela sua história, por tudo o que ele tinha sido. Essa fase negra durou mais de dois anos, até que um dia as coisas realmente tomaram outra feição.

Caras novas, boatos cada vez mais fortes; entrei em crise — mais uma. Apesar de um pouco cansada de fazer coluna social, gostava do meu trabalho e, não vamos esquecer, ganhava muito bem. Mas não estava feliz com as mudanças. Minha crise durou exatamente um mês; um dia, vi que tinha chegado a meu limite, e ela explodiu. Sem ter falado com um só amigo, pedido um só conselho, uma manhã cheguei no jornal e pedi demissão. Comuniquei que ia sair, estava cansada; a conversa foi curta. Era simples: eu e o novo *Jornal do Brasil* não combinávamos. Quando cheguei na sala e contei à minha equipe, foi uma choradeira; também chorei muito, mas fiz o que achava que devia fazer.

Telefonei então para Mônica Bergamo, minha amiga e colunista da *Folha de S.Paulo*, pedindo que ela desse a nota da minha saída. Uma maneira, no meu entender, de me defender de alguma versão menos verdadeira que pudesse rolar. Depois de falar com ela, desci para me despedir do dr. Brito. Nosso encontro durou não mais que vinte minutos, e, quando cheguei de volta à sala, havia um recado da *Folha de S.Paulo*. A primeira coisa que pensei foi que quisessem fazer uma matéria sobre a razão de minha saída, e eu preferia ficar discreta. Mas, como sou ansiosa e não gosto de pendências, liguei na mesma hora, e — grata surpresa — era um convite para escrever uma crônica semanal na *Folha*. Foi maravilhoso; a melhor coisa que podia me acontecer; havia pedido demissão sem ter nada em vista, e minutos depois já tinha trabalho.

Isso aconteceu no dia 5 de outubro de 2001. Pedi para começar no primeiro domingo de novembro, para ter tempo de digerir minha mudança de vida; eles concordaram. Saí do *JB* na hora certa e nunca me arrependi. Como só ia fazer a crônica, fui para a *Folha* ganhando bem menos do que ganhava, mas feliz como não era havia muito tempo. Ia viver com menos dinheiro, mas para mim isso não era novidade.

Passei o mês de outubro pensando, fazendo um balanço dos meus nove anos de colunismo e lembrando de alguns episódios desse tempo — uns divertidos, outros muito bons, outros impagáveis. Um deles foi quando eu morava no Leme, perto do morro do Chapéu Mangueira, onde era a casa de Benedita da Silva, então senadora. Sempre fui amiga do ator Antônio Pitanga, marido de Benedita, e, quando a conheci, imediatamente gostamos uma da outra. Ela pediu meu livro com dedicatória, e o exemplar foi levado por meu carpinteiro, Júlio, que morava no mesmo morro que a senadora — só no Rio existem essas coisas. Um dia Benedita me ligou convidando para um "queijos e vinhos" em sua casa, num sábado, às duas da tarde. Calcei um sapato de salto baixo e subi o morro a pé; a casa de Benedita e Pitanga era em plena favela.

Foi duro chegar lá: além do morro, para alcançar a casa era preciso subir umas escadinhas bem tortuosas, nada fáceis para quem, como eu, adora um elevador e uma escada rolante. Mas consegui, e fui recebida como só as pessoas muito espontâneas recebem; só faltou me oferecerem uma bacia com água quente para aliviar os pés. Havia uma mesa com dezenas de garrafas de vinho de todas as procedências, e outra com queijos de várias qualidades. Para completar, duas ou três tortas feitas por Benedita, uma delas de maracujá, sua especialidade; todas uma delícia. Quem se debruçasse na janela da casa teria a mais bela vista da praia de Copacabana, e, durante a tarde que passei lá, me senti dentro do filme *Orfeu*, tal a beleza das pessoas — começando por Camila e Rocco, filhos de Pitanga.

No dia seguinte a coluna tinha dois assuntos: o queijos e vinhos de Benedita e um leilão de cavalos na fazenda de Olavo Monteiro de Carvalho. Resolvi botar a foto dos dois, do mesmo tamanho, mas qual deveria ficar em primeiro lugar? E perguntar para quem? Ganhou Benedita — afinal, ela era senadora, Olavo não.

E há o tal do *society*, que é constituído de vários grupos; cada um deles se vê quase todo dia, fala das mesmas coisas, a comida dos jantares às vezes é a mesma — afinal, não são tantos os bufês —, e assim continuam pela vida toda, se vendo entre si, como se o resto do mundo não existisse. Mas há os que querem entrar nesse mundo misterioso e restrito —

e, quanto mais restrito, mais cobiçado —, e um truque muito conhecido é conseguir oferecer um jantar para uma pessoa bem poderosa; aí todo mundo vai. Ficam então na obrigação de retribuir o convite, e assim caminha a humanidade.

Houve uma época em que ficou na moda entre as chiquérrimas que eram avós pela primeira vez convidar para um grande *happy hour* só para mulheres, com muito champanhe, muitos canapés, muitos docinhos. Num determinado momento o bebê aparece para ser apresentado ao *society*, nos braços de uma babá uniformizada, afogado numa roupa de organdi cheia de babados. Se um juiz de menores visse uma cena dessas, tomaria uma providência enérgica, talvez até internasse a criança na Febem para salvar sua futura saúde mental. Depois os maridos chegavam do trabalho, e o pobre bebê passava por tudo de novo: "Mas como é lindo! Parece com o pai [ou com a mãe]!". Lá pelas nove, dez horas, acabava, e lá ia a mãe da criança, que não era responsável por toda aquela loucura, levando sacos e sacos de presentes, o bebê e a babá. Uma coisa, esse *society*.

Outra solenidade curiosa são as missas de sétimo dia, onde todo mundo quase quebra o pescoço para ver quem está presente e muitos comungam. Uma vez — juro! — vi uma chiquérrima de cuja vida devassa todos sabiam voltar para o final da fila e comungar de novo. É muito divertido observar cada um deles recebendo o corpo de Jesus e lembrar de todos os pecados que cometeram, fora os que a gente não sabe. Enfim, se confessaram, parece que a barra fica limpa. Quando acaba a missa, ninguém vai logo embora. Formam-se grupinhos na calçada, e o assunto é um só: se a missa foi um sucesso ou um fracasso. "Engraçado, achei fraca, pensei que viesse mais gente." Ou: "A missa foi incrível, estava o Rio de Janeiro inteiro". Ou: "Não sei o que fulano estava fazendo lá, eles mal se conheciam". Porque tem também os que vão para dar a impressão de terem sido íntimos do morto — quando ele é importante, claro. Nem quando morrem eles se livram do social. Aí vem a pergunta clássica: "E onde vamos jantar?".

Um belo dia fui convidada para a inauguração do Teatro Castro Alves, em Salvador. Todos os baianos ilustres estavam lá: João Gilberto, Bethânia e Gal cantaram. Depois do show, Antonio Carlos Magalhães, que era governador do estado, recebeu para um fantástico jantar em sua casa, e tive a honra de ser apresentada ao cardeal d. Lucas Neves, um homem simpaticíssimo. Como nunca tinha falado com um cardeal, não sabia o que dizer; então elogiei a linda cruz que ele carregava no peito, e sua resposta foi um primor de elegância, e talvez — talvez — de vaidade. D. Lucas abriu um grande sorriso e respondeu: "Comprei em Paris". Adorei saber que cardeais também podem ser ligados em moda.

Certa vez houve um jantar na casa de uma socialite louquérrima que recebeu os convidados dizendo, já na porta: "Viu meus peitos novos? Custaram seis mil dólares". E Helcius Pitanguy, quando aparecia com uma mulher nova, não se precisava nem perguntar: era sempre uma princesa, mesmo que fosse de um país que não existe mais (ele é louco por uma nobreza). E ainda tinha o Carnaval, quando chegavam os estrangeiros, e tinha sempre um grego, vai saber por quê; fossem eles cabeleireiros, massagistas ou nada, eram recebidos pela turma com grandes festas. Às vezes até com *thill in*, que é uma sala, armada num dos quartos, com um maquiador e uma massagista a postos para dar um *up* em qualquer uma cuja maquiagem estiver desmoronada.

E há os casamentos, que consomem fortunas para a roupa das noivas, das mães das noivas, das irmãs das noivas, das madrinhas dos noivos e — claro — das convidadas, porque ninguém repete vestido em casamento. De vez em quando acontecia uma coisa rara de ver nos dias de hoje: uma noiva não grávida. Se a barriga não estiver bem grande, pode parecer estranho, e as pessoas podem até comentar — para o mal. Quando você chega, tem sempre alguém para chamar sua atenção para a exuberância das flores, da mesa de doces, apontar as originalidades — tem sempre que ter pelo menos uma — e falar sobre o tempo que foi gasto no planejamento da festa. Essa organização dura pelo menos um ano, cada decoração tem mais flores que a do casamento anterior, e verdadeiros patrimônios são torrados para que os noivos sejam felizes para sempre, o que não costuma acontecer.

Uma ocasião Carmen Machline convidou um grupo de jornalistas para ir a Mônaco, para uma festa brasileira. Fomos, encantados, e, quando eu estava atravessando a pracinha da cidade, feliz da vida, ouvi um grito: "Danuza, Danuza". Era Hebe Camargo, com um conjunto de calça e camisa de seda estampada, colar, brincos, pulseiras e anéis, e atrás dela, Paulo Maluf. Nessa viagem, algumas das convidadas resolveram aproveitar para conhecer o restaurante La Colombe d'Or, em Saint Paul de Vence. Reservaram uma mesa e alugaram um microônibus para levá-las ao famoso local, que, além de ser maravilhoso, tinha sido freqüentado por Picasso, que pagava suas contas com quadros, e fora palco do romance de Simone Signoret e Yves Montand. Eu, que nunca havia estado lá — e até hoje não estive —, pensei durante uma fração de segundo e disse que não iria. Soube depois que foram e voltaram todas, num microônibus, cantando "Ilariê", do repertório de Xuxa. Mesmo que eu não venha a conhecer, jamais, o Colombe d'Or, não me arrependo de não ter ido.

12

Hoje escrevo crônicas para a *Folha* uma vez por semana e faço algumas matérias especiais. Minha vida é calma, trabalho em casa, vejo meus filhos sempre que eles podem e querem — eu posso e quero sempre —, saio às vezes para jantar (e odeio mesas de mais de quatro, no máximo cinco, pessoas), raramente recebo amigos — poucos —, viajo duas ou três vezes por ano, e passei a ter horror a festas grandes. Para mim, festas são — eram — só para encontrar um namorado. Agora servem a propósitos mais nobres: vender. Quem dá festa são grandes empresas que querem divulgar seu produto, e quem vai é para se promover, isto é, ser fotografada e sair na revista. Como meu objetivo não é nenhum desses, a única coisa que me faz ir a festas é o trabalho, para escrever sobre elas. Passei para o outro lado do balcão, o que é bem mais divertido.

O sofrimento nos modifica, e sei que mudei; em alguns aspectos para melhor, em outros para pior. Ter os filhos crescidos e a família cada vez maior, a vida profissional em ordem, a saúde boa, ter deixado para trás a procura por um namorado ou marido, é — embora poucos se dêem conta — uma boa fase. Você sabe exatamente do que gosta, o que quer, não perde tempo com bobagens. É a hora de poder se dar a certos luxos, o que no meu caso significa valorizar a simplicidade; aprendi a reconhecer os momentos felizes quando eles acontecem e não depois, como era no passado. Parece pouco, mas não é. Esse foi o lado em que mudei para melhor.

A vida pode ser boa em qualquer idade, e ter conseguido superar as tristezas que ela me trouxe faz bem à minha alma. Não que elas tenham sido esquecidas, mas a maturidade me fez ver que elas fazem parte da vida e que a vida merece ser vivida como se morde uma manga madura, como dizia meu pai. Hoje me dou quase todos os direitos, até porque o tempo agora é mais curto, e não se deve desperdiçá-lo com nada que não valha a pena. Meus amigos são em menor número mas mais bem escolhidos; tenho muito prazer em ficar sozinha e não preciso mais fazer concessões. Mas, como nada é perfeito, confesso que existem momentos — raros, felizmente — em que preferia estar mal acompanhada do que só. Nunca mais namorei ninguém, o que é uma pena; não há nada melhor do que acordar no meio da noite e ter o homem que você ama dormindo a seu lado; mas é preciso escolher a liberdade ou um homem, e a minha escolha foi feita há muito tempo. Se não tenho medo de morrer sozinha? A gente nasce e morre só, isso é elementar.

Gostaria de ter sido uma mãe melhor, mas acho que essa é uma questão de todas as mães; elas nunca se julgam perfeitas. Mães se sentem ou culpadas ou injustiçadas; se têm vida própria, saem à noite, vão a festas e namoram, morrem de culpa; se ficam em casa cuidando dos filhos e quando eles crescem não aparecem tanto quanto elas gostariam, se sentem injustiçadas. Acho que ser mãe é um assunto nunca resolvido. Quero que meus filhos precisem mais de mim do que eu deles: que precisem de mim para bobagens. E que me telefonem tantas vezes por dia que eu chegue a dizer: "Ah, essas crianças não me dão sossego" — adorando. Às vezes estou mais próxima de Pinky, às vezes de Bruno. Acho que faz parte, e não é verdade que se goste dos filhos da mesma maneira o tempo todo.

Há cerca de dois anos quebrei um braço e fiquei no gesso por dois meses; durante esse tempo, só podia usar duas ou três camisetas grandes, que já tinha. Foi quando descobri que não preciso de tantas coisas materiais para viver; não que não goste de ter roupas bonitas, adoro e vou adorar sempre, mas não dependo delas para ser feliz. Gosto também de ir à feira (às vezes), e só eu sei do prazer que sinto ao escolher meus legumes, minhas frutas, meus peixes fresquinhos. Aprendi que a vida pode ser boa sem muito dinheiro, e as viagens que faço agora — muito menos que antes — me dão um prazer bem maior do que quando eram mais freqüentes. E que ninguém pense que morri para o mundo: estou bem viva e bem alerta.

Houve um tempo em que era moda dizer: "Só me arrependo das coisas que não fiz". Esse arrependimento eu não tenho. Olhando para trás, fiz rigorosamente tudo o que tive vontade de fazer — e continuo fazendo; só me arrependo, e muito, de algumas coisas que poderia perfeitamente ter dispensado, mas já foi. E evito pensar no passado; ele está lá dentro, guardado, quieto.

É nessa fase que estou. Melhorei em algumas coisas, piorei em outras, mas basicamente sou a mesma; aceito melhor meus defeitos, que considero apenas características, para ficar mais leve. Posso ser tirana e também muito dócil (quando quero), simpática ou insuportável, gosto de uma vida de rotina, de saber precisamente o que vai acontecer no meu dia, ser dona de mim, enfim. Mas sei que também sou capaz, de repente, de jogar tudo para o alto e mudar tudo — meus gostos, minhas preferências, minha personalidade. E, quando tenho que tomar uma decisão repentina, sempre penso: "E, no fundo, por que não?". E faço, claro. Às vezes fico na dúvida: não sei se não tenho personalidade alguma ou se tenho muitas, tal a minha capacidade de me virar pelo avesso. Às vezes sinto uma certa nostalgia de não ter nascido numa cidade de uns quinhentos habitantes, no interior da Irlanda, e lá ter vivido a vida toda, cheia de filhos, sem nunca ter entrado num avião. Deve ser fascinante a imaginação das pessoas que têm uma vida tranqüila; mas é tarde para pensar nisso.

E descobri que sou mesmo uma pessoa solitária. Depois de tantos anos solteira, eu, que quando casada sou uma gueixa, adquiri hábitos difíceis de serem modificados. Foi nesse lado que piorei: só vou aos restaurantes que quero, só viajo sozinha, só passo fins de semana em casa de amigos muito íntimos, não viajo de navio, só vou a lugares onde possa, a qualquer momento, chamar um táxi e voltar para casa, e pretendo nunca mais discutir a relação. Vivendo a dois, é preciso fazer concessões; não estou em fase de fazer nenhuma, e nunca consegui me livrar de meu maior defeito: a falta de paciência.

Tive a sorte de viver, desde muito cedo, coisas às quais poucos têm acesso. Hoje me pergunto se foi sorte ou se de alguma maneira contribuí para que essa sorte acontecesse. Afinal, se no lugar de me casar com Samuel tivesse me casado com um playboy, tudo teria sido diferente.

A vida me deu tudo o que poderia dar, de bom e de ruim. Nada me foi poupado: ela foi completa nos dois sentidos. Penso como o escritor Elie Wiesel, que um dia disse: "Depois de tudo o que já vivi, nada que me aconteça poderá me fazer muito feliz nem muito infeliz".

Foi difícil começar a escrever este livro, e estava sendo difícil acabar. Resolvi então ir para Paris; longe do meu cotidiano, talvez me fosse mais fácil botar o ponto final.

Cheguei numa tarde de quinta-feira, exausta, depois de uma viagem longa e cansativa. Era julho, pleno verão. Fui para o hotel de sempre, o Welcome, na rue de Seine, em Saint Germain; liguei para uma amiga e combinamos de jantar. Enquanto a esperava no quarto, sem ter o que fazer, li, distraidamente, um folheto daqueles que ensinam como falar com a portaria, como fazer um telefonema internacional, como ligar para outro quarto. Ela chegou, saímos, jantamos, rimos, e às onze eu já estava na cama.

O calor não me deixava dormir; Paris estava uma festa, e os bares, com mesas nas calçadas, repletos. À meia-noite botei jeans, camiseta, tênis, e desci para tomar um *pastis* (espécie de anis que se bebe muito no verão) no Café de Buci, a cinqüenta metros do hotel. Era minha primeira noite na cidade, e eu tinha vinte dias pela frente, o que me dá sempre uma sensação maravilhosa. Me distraí observando as pessoas; às duas da manhã paguei a conta, dobrei a esquina e entrei na ruazinha do meu hotel, àquela hora quase deserta.

De repente percebi alguém atrás de mim, falando comigo. Era um homem, nem velho nem moço, nem bonito nem feio; um homem. Disse, misturando francês e espanhol, que havia chegado de Cuba naquele dia, depois de uma escala em Santo Domingo; que seguiria viagem às nove da manhã; que tinha me visto no café, me achado "*très belle*", e propôs tomarmos uma bebida. Como fora do Brasil estou acostumada a ser abordada e cortejada, como qualquer mulher de mais de quarenta anos, não liguei, e minha reação foi a de sempre: "Não, claro que não". Apertei o passo e entrei no hotel, sem imaginar o quanto aquele homem era determinado.

Cinco minutos depois ouvi alguém bater na porta do meu quarto. Abri, imaginando que o *concierge*, por alguma razão, me chamava, e levei um susto: era ele, que por coincidência estava hospedado no mesmo hotel. Disse que seu quarto era o 62 e que pensou que, como estávamos sós, podíamos ficar juntos. Eu respondi qualquer coisa tipo: "Mas o que é isso?", e fechei a porta.

Em alguns segundos esqueci do que lembrei a vida inteira: que é preciso saber quem é o outro, o que faz, onde mora, estado civil, classe social. Ele tinha razão: estávamos sós, por que não podíamos ficar juntos? Afinal, a vida pode ser simples. Lembrei, não sei como, do que havia lido no folheto; fiz, automaticamente, o 1, o 62, ele atendeu, eu disse: "Estou subindo". Na pressa, esqueci de levar a chave, mas troquei o tênis por uma sandália de salto alto.

Não houve preâmbulos; não dissemos nossos nomes nem contamos nossas vidas. Aconteceu o que era para acontecer, e às sete da manhã, quando saí, ele dormia. Pedi ao porteiro, que ainda era o da noite, que abrisse a porta do meu quarto.

Quando acordei, às duas da tarde, mal acreditei no que tinha acontecido. Voltei ao mesmo café, pedi um vinho e pensei: quando um homem deseja muito uma mulher, esse desejo pode despertar o desejo dela. E mais: quando isso acontece, não há nenhuma razão para que os dois resistam à pulsão da vida. Pensei também que poucos homens compreendem as mulheres; não sabem que muitas preferem ser desejadas a ser amadas. Na noite anterior eu me esqueci de quem era e nunca fui tão eu mesma. Olhei para as mesas em volta e vi casais escolhendo o que iam comer, discutindo o filme que iam ver à noite. Quanta bobagem.

Senti uma certa tristeza; sabia que nunca mais o veria e também que nunca iria esquecer aquela noite, aquela noite perfeita. Tão perfeita que ele foi embora sem eu nem saber para onde.

Se naquela hora ele entrasse no café, eu talvez não o reconhecesse; ou talvez sim, pelo olhar. Apesar de ter o hábito de pensar, fantasiar, romantizar, sei que aquele foi apenas um momento na vida de duas pessoas que se quiseram, nada mais. Poderia, pelo menos, ter ficado sabendo o nome dele, mas nomes são apenas detalhes.

Na tarde seguinte, não resisti e perguntei ao *concierge* (que era outro) se o 62 estava vago; inventei que uma amiga ia chegar, pedi para ver se era o tipo de quarto que ela queria. Subi, entrei, sentei na beira da cama, acendi um cigarro, e fiquei olhando, pensando, lembrando. Nunca vou entender como acertei ligar para o quarto dele. Não sei também de onde tirei coragem para tanto, mas desconfio: foi porque não pensei, não raciocinei; pensar muito e raciocinar muito podem impedir, às vezes, que a vida aconteça, e tive até medo de me sentir tão viva.

Uma semana mais tarde, era meu aniversário; sentei num café, pedi uma garrafa de champanhe e brindei sozinha, bem como eu gosto, a meus setenta e dois anos.

agradecimentos

Apesar de tantos amigos me dizerem: “E aí, quando vai escrever seu livro?”, nunca levei a sério, mas vinte minutos com Luiz Schwarcz e Maria Emília Bender foram suficientes para eu mudar de idéia. Maria Emília me acompanhou com carinho e paciência passo a passo na feitura do livro, e Márcia Copola, com sua doçura e competência, foi fantástica — por ela não passa nada. Houve também Millôr, a quem devo o título, *Quase tudo*, e Mario Sergio Conti, que com grande generosidade (e memória) lembrou de coisas da minha vida das quais nem eu mesma lembrava. Meu grande, imenso agradecimento a todos e sobretudo a meu filho Bruno, que me deu aquela força que só filho sabe dar.

créditos das imagens

Todos os esforços foram feitos para determinar a autoria e identificação das fotos usadas neste livro. Nem sempre isso foi possível. Teremos prazer em creditar os fotógrafos caso se manifestem.

Nas páginas com mais de uma imagem, seguiu-se a ordem da esquerda para a direita e de cima para baixo. As imagens não creditadas pertencem ao arquivo da autora.

primeiro caderno

p. 1: Acervo Manchete
pp. 2 e 3: Richard Avedon
p. 10: Tecelagem AGB/Revista *L'Officiel de la Couture et de la Mode de Paris*
p. 11: Oldar Fróes/Acervo Manchete
p. 14: Coleção particular Cezar Sepulveda
p. 16: Pauline Morin

segundo caderno

p. 3: Alfredo Mazzei (imagem 1)
p. 4: Alfredo Mazzei (imagem 1); Revista *Rio* (imagem 2)
p. 5: Revista *Sombra*
p. 10: Revista *Rio*
p. 11: Elisabeth di Cavalcanti (imagem 2)
p. 13: Editora Abril (imagem 2)
p. 24: Bel Pedrosa (penúltima imagem)

terceiro caderno

p. 6: Cardoso/Arquivo Agência A Tarde
pp. 8-9: René Burri/Magnum Photos
p. 12: Arquivo do Estado de São Paulo/Acervo Última Hora (imagens 1 e 3)
p. 13: Arquivo do Estado de São Paulo/Acervo Última Hora (imagens 1, 3 e 4)
p. 14: Evandro Teixeira/AJB/1969 (imagens 1 e 2)

1ª EDIÇÃO [2005] 5 reimpressões

ESTA OBRA FOI COMPOSTA POR WARRAKLOUREIRO EM JANSON TEXT E VECTORA
E IMPRESSA EM OFSETE SOBRE PAPEL PÓLEN BOLD DA SUZANO BAHIA SUL PELA
RR DONNELLEY MOORE PARA A EDITORA SCHWARCZ EM MAIO DE 2006